橋本誠
影山裕樹
編著
石神夏希
中嶋希実
はがみちこ
橋爪亜衣子
南裕子
谷津智里
著

危機の時代を生き延びるアートプロジェクト

EDIT LOCAL BOOKS

千十一編集室

危機の時代を生き延びるアートプロジェクト｜目次

はじめに

美術館・ギャラリーのような専門的な施設ではなく、まちなかや公共的な空間で行われていたり、アーティストだけでなく様々な関係者・参加者が共に表現活動などを行う「アートプロジェクト」。

個人や民間の団体が取り組んでいるものもありますが、文化芸術振興基本法の制定と一部改正（２００１、２０１７）、内閣府「地域創生」総合戦略（２０１５〜）などを受けて、自治体が主導したり、公的資金を用いて行われているものが近年急激に増えています。東京２０２０オリンピック・パラリンピックに合わせて計画された「文化プログラム」も多く、２０２０年がそのピークを迎えると言われていました。新型コロナウイルス感染症拡大の影響を受けて文化・芸術のあり方自体が問われているこの頃ですが、急増したアートプロジェクトのあり方が、改めて問われている時期です。

本書では、日本の各地で文化・芸術にとどまらない多様な価値を生み出してきたアートプロジェクトの動きの中から、「災害復興」（01、02）「社会包摂」（03、04）「地域経済」（05、06）「メディア」（07、08）などをキーワードとして複数の事例を掘り下げるとともに、専門家の対談を通してその社会的な価値を紹介します。

対象とした約10年は、日本が人口減少、経済危機、大震災、豪雨災害などに見舞われる「危機の時代」でもありました。それぞれの事例から、この困難を乗り越えるための新たな視点や「術」としてのアートの本質を見出していただければ幸いです。

橋本誠・影山裕樹

本書で取り上げるアートプロジェクト

作成：アートプロジェクトラボ
作画：井上果林

2009	2008	2007	2006	2005	2004	2003	2002	2001	2000

クリエイティブサポートレッツ（静岡）

こえとことばとこころの部屋：ココルーム（大阪）

BEPPU PROJECT（大分）

たけし文化センター

別府現代芸術フェスティバル「混浴温泉世界」

墨東まち見世（東京）

美術館・ギャラリーだけを舞台としないアートプロジェクトは、2000年頃から各地で急増しています。本書で取りあげているのはそのごくわずか一部です。

凡例

●━━● イベントとして毎年ないし複数年ごとに開催されているもの、拠点施設等を持ち継続的に開催されているもの、その中で新たなプジェクトが生まれているものなど

●・・・● 名称が変わっても内容を引き継いでいたり、強い関連性を持っているものなど

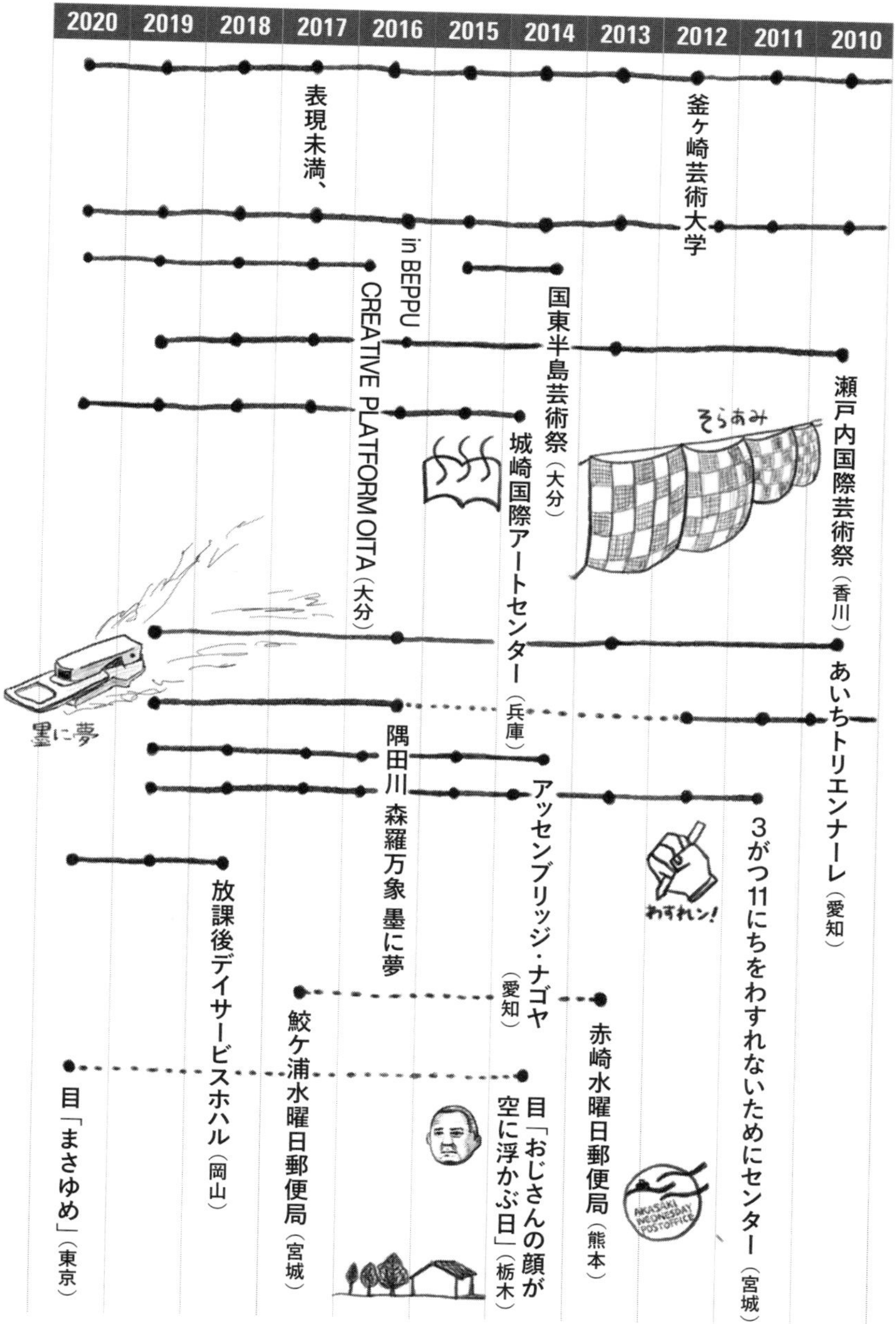
2020
2019
2018
2017
2016
2015
2014
2013
2012
2011
2010
釜ヶ崎芸術大学
表現未満、
瀬戸内国際芸術祭（香川）
国東半島芸術祭（大分）
in BEPPU
CREATIVE PLATFORM OITA（大分）
城崎国際アートセンター（兵庫）
そらあみ
あいちトリエンナーレ（愛知）
3がつ11にちをわすれないためにセンター（宮城）
わすれン!
アッセンブリッジ・ナゴヤ（愛知）
隅田川 森羅万象 墨に夢
墨に夢
放課後デイサービスホハル（岡山）
赤崎水曜日郵便局（熊本）
AKASAKI WEDNESDAY POSTOFFICE
鮫ケ浦水曜日郵便局（宮城）
目「おじさんの顔が空に浮かぶ日」（栃木）
目「まさゆめ」（東京）

01

アーティストによる震災の「記録」とそれを支えたプラットフォーム

谷津智里

せんだいメディアテーク
2001年に開館した宮城県仙台市の芸術文化および生涯学習施設で、公益財団法人仙台市市民文化事業団が指定管理を行う。端末ではなく結節点であることを理念とし「だれもが情報を収集し、蓄積し、編集し、発信のできる環境の提供」が目指されている。

東日本大震災の発生

2011年3月11日14時46分、東日本大震災が発生した。

仙台市郊外の家電量販店で一人で買い物をしていた私は、陳列棚から商品が転がり落ち、電気が消え、天井材に亀裂が入ってパラパラと落ち始めるのを見て、もうこのまま家族の元へ帰れないのではないかと思った。その後どうにか夫と子どもたちと再会し、ろうそくの灯りで冷たい残りものを食べ、洋服のまま布団に入ると、ラジオから「(仙台市)荒浜に200~300の遺体がある」という情報が飛び込んできた。一体、何が起きているのか。自分がいる場所が「被災地」になったらしい、とは理解しながらも、状況が飲み込めないまま朝を迎えた。遅れて届いた新聞には、目を疑うような巨大津波が写っていた。

翌日からはスーパーやコンビニが閉まって個人商店の野菜が高騰し、風呂に入れず、ガソリンが手に入らなくなった。幼稚園児と0歳児を抱え、それからしばらくは目の前の暮らしをどうするかで精いっぱいだった。でもそんな日々の中で、近くの人たちと声をかけ合うような、平時には見られなかった光景にも出会えた。非常時下で人びとは、助け合いながら目の前の一日一日を暮らしていた。

一方、テレビでは、沿岸部の目を覆うような被害が連日伝えられていた。まるで映画でも見ているかのような津波襲来の様子、街が根こそぎ失われ瓦礫と化した光景、考えられないほど多くの犠牲者と、悲しみに暮れる家族たち……。それらは自分と遠くない場所で実際に起きていることだったが、映し出されるものがショッキングであればあるほど、見る人との間にどんどん見えない境界線が引かれていったようにも思う。「この人たちが被災者で、自分は被災者ではない」という線。

そうやって連日メディアによって「未曾有の大災害」を喧伝されながら、今起きていることに対して自分は何ができるのか、何をすべきなのか考え始めた人たちが、被災地の内にも外にもいた。そして、そうした人びとの受け皿となるべく水面下で準備を始めていたのが、せんだいメディアテークだった。

せんだいメディアテークとわすれン！

せんだいメディアテーク（以下、メディアテーク）は、2001年に開館した仙台市の芸術文化・生涯学習施設。建物は建築家・伊東豊雄さんによる設計で、全面ガラス張りの外観と柱を排した空間で知られる。東日本大震災でも構造に問題は生じなかったが、ガラスや天井などが破損し、一時閉館した。災害時にはボランティアセンターになる予定だったが、実際にはその役割を果たすことはできなかった。

当時メディアテークの企画・活動支援室長だった甲斐賢治さんは、仙台市役所で避難生活をしながら「今、メディアテークは何をすべきなのか」を考えていたという［★1］。甲斐さんは震災の1年前・

2010年の3月までは、大阪のNPO［★2］で個人が発信するメディア表現の価値化に取り組んでいたが、続く4月、メディアテークに招かれて仙台に移り住んだ。

メディアテークは開館以来、仙台の文化の中心地として、創造的な活動の舞台となってきた。私もさまざまな催し物に足を運んだが、シアター、展示ギャラリーなど文化を鑑賞するための機能だけでなく、利用者がさまざまなコンテンツの制作や編集、発信を行えるスタジオ機能も持っていて、市民が文化を享受するだけでなく、担い手となることを意識した運営をしていた。そんな背景から、甲斐さんを大阪から招き、市民による記録活動の促進と、保存・活用の仕組みづくりをしようとしていたのだ。大震災は、その矢先に起こった。

メディアテーク被災写真 ©せんだいメディアテーク

避難生活の中で、甲斐さんは1枚の企画書を書いた。市民による記録活動と未曾有の大災害。その2つが重なって生まれたのが「3がつ11にちをわすれないためにセンター」（以下、わすれン！）だ。わすれン！は2011年5月3日、補修が必要なフロアを除いたメディアテークの一部再開と同時に誕生。施設もスタッフの状況も落ち着かない中、東日本大震災を市民が個人の視点から記録し、共有するプラットフォームとなることを目指してスタートした。誰でも利用者として登録することができ、ビデオカメラ等の機材をメディアテークが提供。震災から派生するさまざまな状況を記録・編集・発信する活動を支援するが、撮ったものを公開を前提に公的にアーカイブすることを参加条件とした。当時集められたスタッフにはアーカイブに関する専門家は一人もいなかったそうだが、明確な理念を持った「場」ができたことで、わすれン！はこの災害を記録し、伝えようと東北を目指す人びとの受け皿となる。発災後早い段階から被災地入りし、わすれン！が活動の足がかりとなったアーティストの一人に、瀬尾夏美さんがいる。

「こういう人に会いたかった」

瀬尾さんは、震災が起きた2011年3月、東京藝術大学を卒業し、4月から大学院に進学する予定の学生だった。発災後、友人たちと「これからアートに何ができるのか」などの議論もしたという。

「地続きの場所で大変なことが起きているのに、それを見ないままで作品を作ることももうできないのではと思いました。まず何が起きているのか知りたかったし、手伝えることがあれば手伝いたいと思い、現場に行く方法を考えていました」（瀬尾さん）

周囲の学生で実際に被災地に行く人はほとんどいなかったようだが、瀬尾さんは3月30日から、友人の小森はるかさんとレンタカーで東北に入り、災害ボランティア活動に参加し始める。土地勘は無く、携帯電話の地図アプリを見ながらの旅だったという。

ボランティアセンターから派遣された先で作業をしていたある日、瀬尾さんは、隣の家で一人で片付けをしているお年寄りに出会った。声をかけて話を聞くと、「この家はもう

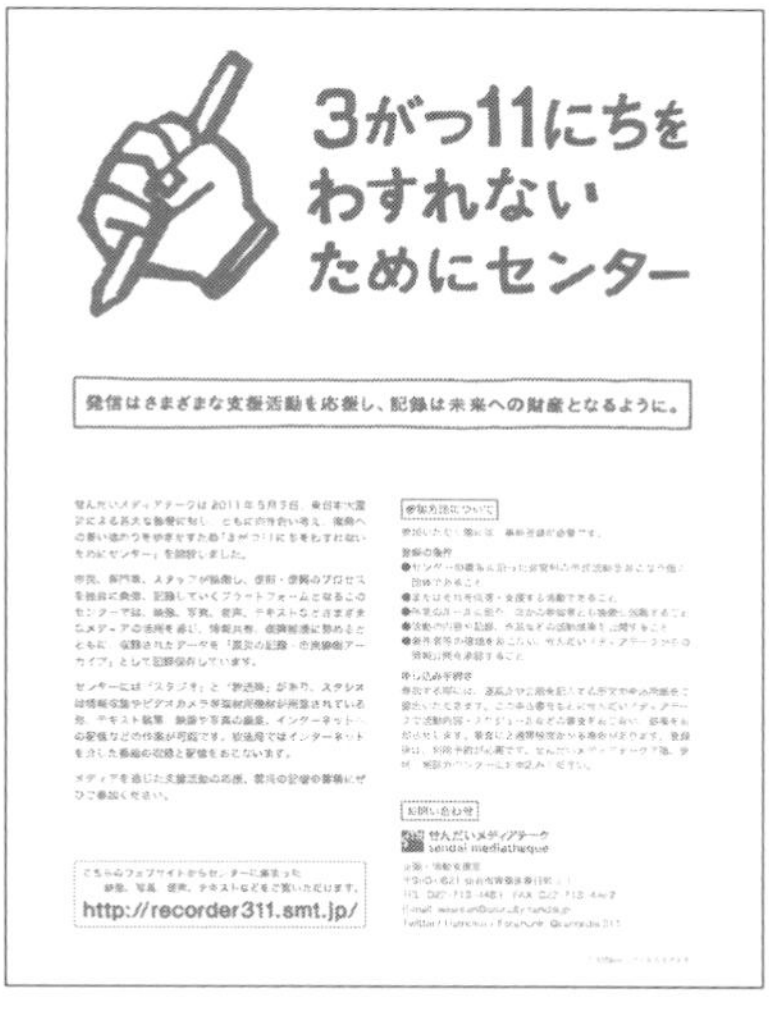

わすれン！参加者募集チラシ　©せんだいメディアテーク

壊すことになったけれど、これまで生活してきた場所をそのままにしては申し訳ないから、自分の手で片付けてから別の場所に行きたい」と話したという。

「被災地の中でもより端っこにいる人たちがいることに気がつきました。マスコミでは『復興』とか『頑張ろう』という言葉が叫ばれていたけれど、その陰で、どうやってその場所とお別れするのかとか、どうやったら亡くなった人を弔えるのかとか、そういうことに丁寧に向き合いながら生活を立ち上げ直そうとしている人たちがいた。ああ、私はこういう人に会いたかったんだな、と思いました。その人たちの細やかな手つきを、ちゃんと記録したいと思ったんです」(瀬尾さん)

5日間の予定だった活動が10日間に延び、その後一度東京に戻ったが、瀬尾さんと小森さんはそれから毎月のように東北沿岸部を訪れるようになる。そして訪れる度、見たものを言葉と映像で記録し、東京の友人や知人に報告する会を開いていった。

瀬尾さんたちが最初に東北を訪れた時、メディアテークではすでにわすれン!の準備が進められつつあった。その後、仙台には全国さまざまな場所から来たアーティストらが滞在し、メディアテークに出入りしていく。そこで現場の状況や活動方法をアーティスト同士で交換し合えたことが「活動する上での大きな助けになった」と瀬尾さんは言う。

「わすれン!が受け皿になってくれたことで、被災地に集まったアーティストたちが長く活動することができたと思います。途方もなく大きく、さまざまな問題をはらんだ震災という出来事は、短期間で記録や作品としてまとめられるものではない。現地に滞在してそこにいる人たちと対話するプロセスがあってこそ、本当に伝えるべきものを見出せるのではと感じていました」（瀬尾さん）

瀬尾さんと小森さんは、わすれン！に支えられて東京と東北を往復する日々を1年ほど過ごした後、津波で甚大な被害を受けた岩手県の沿岸部に居を移し、腰をすえた活動を始める。東日本大震災後、瀬尾さんのように「移住」と呼べるほどの長期に渡って東北に身を置いたアーティストが一定数いた。２０２１年のベルリン国際映画祭で銀熊賞、カンヌ国際映画祭で脚本賞を受賞した映画監督の濱口竜介さんもその一人だ。

『被災者』とはだれか

わすれン！は開設時、映像制作を教える大学などにも活動への参加を呼びかけていて、濱口さんがかつて在籍した東京藝術大学映像研究科もその一つだった。濱口さんはその時すでに藝大を卒業し、映画監督としてキャリアをスタートしていたが、藝大の呼びかけに応えて5月の半ばにわすれン！を訪れる。濱口さんは瀬尾さんと同じように、東京でニュース映像を見ながら「そこから取りこぼされている何か」を感じとり、現地を訪れねばならないと考えていた。

けれど濱口さんは、実際の津波被災地に立ち、「〝間に合わなかった〟と思った」と振り返る。

「大変なことが起きたことは間違いないけれど、すでにそれは起きてしまった後であり、〝痕跡〟を撮ることしかできない。そこでカメラを回してもテレビの映像と同じものしか映らないし、簡単に紋切り型に回収されてしまうと思いました」（濱口さん）

東日本大震災では、市民の多くが被災地の様子をカメラに収めた。スマートフォンなどで撮影されたそれらの映像は、現在もYouTubeなどで見ることができる。でも濱口さんは、目の前に広がる被災地の姿を「撮るべきもの」とは考えなかった。その後、知人を介して沿岸部の人びとの話を聞いて回った濱口さんは、ある日、「撮るべきもの」に出会う。ある人が津波の体験を語り始めた時、そこにいた10人ほどが全員、引き込まれるように集中する瞬間があったというのだ。

「それは『被災者』としての語りではなく、『その人個人』の語りが立ち現れた瞬間だったからだと思います。被災体験のみを語ってもらうのではなく、その人はどんな人で、それまでどんな風に生きてきて、被災した後どんなことを考えて、今ここにいるのか。そういう、いち個人の話をしてもらった時に、『ああ、こういう人が被災をしたのか』とようやく実感できる感じがあった。『一体、どこの誰が被災したのか』。その具体的な姿を捉えることができれば、わずかながらも震災という

ものを理解する手がかりになるのではないかと考えたんです」（濱口さん）

濱口さんはその後、7月に合流した同じく藝大映像研究科出身の酒井耕さんとともに、丁寧に「個人の語り」を記録していった。そうして秋に『なみのおと』（2011年 製作：東京藝術大学大学院映像研究科 配給：サイレントヴォイス）という映画が完成する。『なみのおと』は、夫婦や友人、親子など、もともと親しい間柄にあった二人が向かいあって語り合う様子を映し出すのだが、あまりにも自然体なその様子に驚く。震災という出来事も、大小さまざまな出来事の一つとして取り留めの無い会話に紛れ込んでいる感じだ。濱口さんは、東北で出会った人びとの「その人自身

『なみのおと』WEBサイトTOP画像

の語り」が会話から滲み出た瞬間（それを濱口さんは「いい声」と呼んでいる）を映画の中に記録していた。『なみのおと』は、日本中に引かれた「被災者」と「被災者でない者」とを分ける境界線を、そっと取り払うような映画だった。

必要なタイムラグ

『なみのおと』が完成した頃、濱口さんと酒井さんは東京の住まいを引き払い、仙台に移り住んだ。「まだこのままでは終われないし、長くかかりそうだと思ったので、それならば拠点を移そうと思いました」（濱口さん）

その後、仙台で1年半ほど暮らし、濱口さんと酒井さんはさらに『なみのこえ』『うたうひと』（2013年製作・配給：サイレントヴォイス）という二つの映画を作る。それらは「東北記録映画三部作」と銘打って劇場公開された。当時濱口さんたちが暮らしていたのは、甲斐さんが関わる複数のNPO［★3］が主体となって助成金を獲得し、仙台に集まるアーティストたちのために新たに用意した拠点で、「シェルター」と呼ばれていた。

一方、岩手県に移り住んだ瀬尾さんは、2013年から陸前高田市の写真屋で働きながら暮らしていた。「人と風景に直感的に惚れ込んだ」という陸前高田の風景を「いつかちゃんと絵にしよう」と思っていたが、その構想を得るまでにはしばらく時間がかかった。
「大きな災害が起こったとき、作品を作るアーティストは『すぐに役に立つもの』を提供することはできません。そのタイムラグに覚悟して向き合わなければならないことは、被災地に通い始めた頃から感じていました」（瀬尾さん）
写真屋で働く中では、学校行事や集合写真の撮影をしたり、被災した写真の修復作業や遺影づくりもしたという。
「その立場でなければ入れない現場にたくさん出会って、とても濃い時間でした。写真は人の記憶に深く関わるメディアで、こんなにも生活の近くにある生々しいものだと分かった」（瀬尾さん）
そうやって住民の近くで生々しい「記憶」に接しながら、瀬尾さんは最初に被災地入

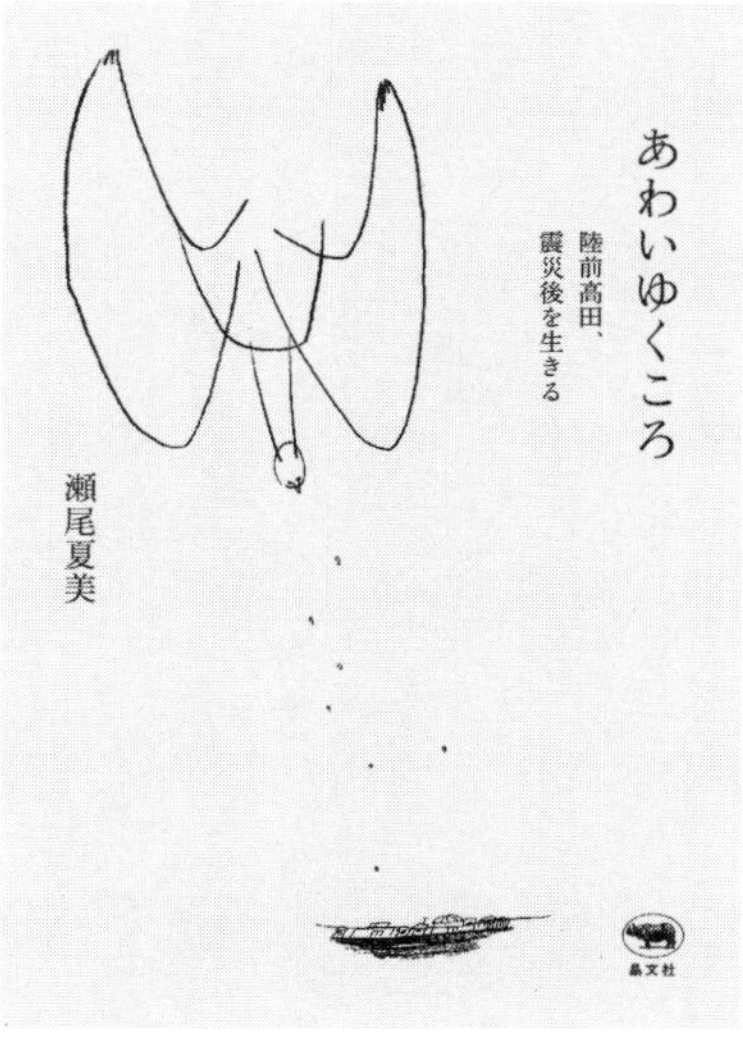

瀬尾さんの著書『あわいゆくころ』

りした時に始めたtwitterの投稿をずっと続けていた。働いて帰宅した後、夜、散歩をしながら書いていたというtwitterの投稿は、後に描いた絵と短い物語とともに、『あわいゆくころ　陸前高田、震災後を生きる』（晶文社、２０１９年）という書籍にまとめられている。現場で暮らしながら丁寧に積み重ねた言葉たちは、以前そこにあった街と、土地のかさ上げによってできた新しい街の間を埋める記録となって、震災の8年後に出版された。

アーティストによる「記録」はなぜ必要か

濱口さんと酒井さんが制作した「東北記録映画三部作」の中には、『うたうひと』という映画がある。この映画は他の二本とは少し毛色が違う。40年近く東北地方の民話の聞き書きを続けてきた「みやぎ民話の会」[★4]という市民サークルの、活動記録とも言える映像なのだ。三部作になぜこれが入っているのか一見不思議に思うが、これには、必然的な経緯があった。

きっかけは、メディアテークから「みやぎ民話の会の映像記録を撮りませんか」と誘われ、代表の小野和子さんに出会ったことから。

「震災を記録する時、被災した人がどういう人なのか知りたいと思ったのと同じように、この土地がどういう土地なのかを知りたいと思いました。小野さんと民話を聴いて回ることで、東北で生きる厳しさの本質と、同時にそこを離れがたい理由も自然に理解できたように思います」（濱口さん）

小野さんは、長年情熱を注いで来た民話語りを映像にできると喜んだが、濱口さんに出会って意外なことに気付かされたのだという。濱口さんは、民話の聴き手としての小野さんに着目していた。語り手が「いい声」を響かせるためには聴く人の存在が重要であることに、それまでの映画制作で気づいていたのだ。『うたうひと』は、民話語りを映した映画であると同時に、聴き手としての小野さんを映した映画となった。

「それまで小野さんは、聞き手の重要性を考えたことはなかったそうですが、実は小野さんによっ

『うたうひと』WEBサイトTOP画像

て生き生きとした語りが引き出されていることを濱口さんたちが発見し、構造化して映画にしたんだと思います。小野さんにとっても、自分がやってきたことを深く理解してくれる人たちとの出会いは、とても重要な出来事だったようです」（瀬尾さん）

「みやぎ民話の会」のように、草の根で土地の記憶を記録しようとする市民やグループが、仙台には存在する。震災の記録には、アーティストだけではなくこうした大勢の市民も取り組んだ。それぞれの目線はどちらも大切なものだ。しかしこのエピソードは、その中でも特にアーティストが果たす役割の一端を示しているように思う。『うたうひと』の制作後、濱口さんはこの「いい声」を劇映画でも響かせようと、演技経験を持たない人が「お互いの話を聞き合う」体験を通して役の個性を引き出す手法で映画『ハッピーアワー』を制作。ロカルノ国際映画祭で主演女優賞を獲得している。

『記録と想起』

震災から3年が経過した2014年末、メディアテークで『記録と想起』という展覧会が催された。わすれン！はその頃、寄せられた映像などを利活用する方法を探る中で、さまざまなプログラムを展開していた。『記録と想起』展では、見る人が映像をより日常の感覚に引きつけて鑑賞できるよう、台所や寝室など生活空間を模したセットが20以上連続する環境が用意された。鑑賞者はそれらの部屋をひとつひとつ通りながら進んでいく。

瀬尾さんがこの展覧会で、小森さんとともに発表した作品に、『波のした、土のうえ』という映像がある。津波で家と家族を失った人、家や店を流された人自身の語りとともに、「新しい街」が作られつつある陸前高田の風景を映した作品で、多方面で話題となった。そこに暮らす人とともに風景を見続けてきた2人だから作れた作品だった。

『記録と想起』展には瀬尾さんたちのほか

『記録と想起』展示会場風景　© せんだいメディアテーク

に、濱口さんら、初期にメディアテークに集まり、活動を始めたアーティストや市民が総勢19名参加していた。「同窓会のようでした」と瀬尾さんは振り返る。

「『あなたもまだやってたんですか』みたいな（笑）みんなそれぞれの現場で活動を続けてきて、その成果の一部が『記録と想起』展になったけれど、でも私たち、まだまだやることあるよね、という話をしました」（瀬尾さん）

翌2015年4月、瀬尾さんは仙台に居を移し、この時再会した仲間たちと「一般社団法人NOOK（のおく）」を立ち上げた。NOOKは、東北を拠点として市民による語りや表現の記録・保存、発信活動を行う団体で、以降、メディアテークやアーツカウンシル東京［★5］などとともに、さまざまな事業を展開している。

わすれン！以外の動き

仙台周辺の他の動きについても触れておきたい。インディペンデントキュレーターの長内綾子さんも、東日本大震災を機に仙台に移住した一人だ。

震災当時アーツ千代田3331［★6］に勤務していた長内さんも、当初、個人的なボランティアとして東北を訪れていた。東北のアート関係者を支援したり、東京の支援者とアーティストをつなげながら行き来するうち、「復興する仙台とアートを見届けたい」と移住した。以後、仙台市経済局と組んでクリエイターの育成に従事しながら、自身が暮らす古民家［★7］をアーティストの滞在拠点として使い、トークイベントなども開催している。メディアテークだけでなく、こうした小さな拠点が複数存在することで、仙台で活動するアーティストや市民の有機的なつながりが持続し、結果としてアーティストたちの作品に結実していった。

写真家の志賀理江子さんは、発災時、すでに東北に暮らしていた。メディアテークの招きで2006年に滞在制作をした後、仙台市郊外にある名取市北釜地区に惚れこみ、移り住んだのだ。［★8］志賀さんは「地域の記録係」として住民に迎え入れられ、祭りや行事の写真を撮ったり、古くからそこに暮らす人の個人史を聴いて回ったりしていた。しかし北釜地区は震災で津波に呑まれ、多くの住民が命を落としてしまう。周辺で見つかったたくさんの写真が時に故人そのもののように扱われる光景を見た志賀さんは「これは写真のことなのだから、これまでのように私ができる仕事だと思った」［★9］と、写真を洗浄し、持ち主に返す活動に取り組んだ。

メディアテークは2011年の6月から2012年の3月にかけ、志賀さんに北釜での活動を語ってもらう「志賀理江子レクチャー」を10回に渡って開催し、そこにはわすれン！で記録活動を行う人たちも参加していた。濱口さんは、そこで聴いた志賀さんの話に衝撃を受けたという。

「志賀さんは北釜の人に聴いた話をビデオに収めたり書き起こすだけでなく、その語りを何度も口に出して繰り返しながら自分の中に血肉化していました。そうして自分の身体そのものに土地の記憶を注ぎ込むことで、その土地に生きる人が見ている『風景』を見いだそうとしていました。よそ者としてやって来て、土地の人のパーソナルな話を撮ろうとしていた僕たちにとって、志賀さんのあり方は精神的な支えとなり、制作を導いてくれました」(濱口さん)

こうして仙台では、記録者たちが互いに影響を与え合い、記録することの意味と方法について考察を深め、それぞれの活動に反映させていった。

「今、ここ」ではないどこかへ

地域の記憶を市民の手で記録し、アーカイブする仕組みを震災前から実践していたメディアテークは、東日本大震災の発生に際し、いち早く記録者のためのプラットフォームとしてわすれン!を構想、開設した。メディアテーク自体も被災していたことから予算や資源は限られていたが、その理念は多くのアーティストや市民に共有され、そのことがアーティストを仙台に呼び寄せ、長期に渡る関わりを可能にし、その後も、成果を発表したり、記録活動を継続するあらゆる人を支える場となった。2016年度には、アーティストの視点と地域の人材や課題をつなぐ目的で、新たに「せんだい・アート・ノード・プロジェクト」を立ち上げた。プロジェクトの柱の一つである「東北リサーチとアートセンター（TRAC）」では、瀬尾さんが代表理事を務める一般社団法人NOOKを含め、社会課題に取り組む三つのNPOを運営パートナーとし、震災に限らず、地域の課題や歴史を題材にした展覧会やトークイベントなどを行っている。

自然災害による甚大な被害を前に、アーティストは短期的には役に立たない。だからこそ、アーティストそれぞれが、それぞれの方法でどのように震災と向き合うかという問題を解決するしかない、と濱口さんは言う。

「それでも、『役に立たないことが大事』だと思っています。分かりやすい役割を持たない者の視点でしか、見えないものがある。記録をしたいというのはある意味でアーティストの欲望でしかないけれど、それによって作り出されたものは『今、ここ』ではない、どこか遠い場所で、思いもよらない形で役に立つ『ポテンシャル』になる。未来というのは不確定なものなので、そのポテンシャルを保持しておくのは、社会にとって実はとても大事なことです」（濱口さん）

甲斐さんは2013年にメディアテークで開催された対話形式のイベント「なんのためのアート」

の中で、わすれン！を始めたのは、災害をめぐって人びとの間に生まれるさまざまな隔たりを「行き来する回路」を開くためだと発言していた。回路は災害後、一次的に開かれるだけでなく、いつ「その時」が来てもいいように開かれ続ける必要があるだろう。東日本大震災から10年が経過し、どこが『被災地』で誰が『被災者』なのかますます曖昧になる日本で、「被災」という複層的な出来事を「今、ここ」ではないどこかへ届ける取り組みは続いており、そこにはアーティストの視点が確かに必要とされている。

★1　佐藤和久、甲斐賢治、北野央著『コミュニティ・アーカイブをつくろう!』(晶文社、２０１８年)

★2　「remo［記録と表現メディアのための組織］」。個人による映像記録が社会に新しい価値を生む可能性に着目し、８ミリフィルムの映像を見て対話する場や、発信リテラシーを高めるワークショップなどを開催している。

★3　ＮＰＯ法人「remo／記録と表現とメディアのための組織、ＮＰＯ法人アートＮＰＯリンクなどを通して、福武財団や企業メセナ協議会などの助成金を申請した。

★4　宮城県を中心に東北各地の民話の語り手を訪ね歩き、民話集の刊行などを行っている１９７５年設立の市民サークル。

★5　東京都の芸術文化施策の中核的役割を担う組織。市民協働のノウハウを応用する形で２０１１年より「東京都による芸術文化を活用した被災地支援事業Art Support Tohoku-Tokyo」を10年間実施した。

★6　旧千代田区立練成中学校を改修したアートセンター。現代アートに限らず、建築やデザイン、身体表現、地域の歴史・文化まで、多彩な表現を発信する場として展覧会やトークイベント、ワークショップなどを開催している。

★7　この古民家も先のシェルター同様、ＮＰＯが得た助成金も用いて運営が始まった。当初、シェルターは男子寮、古民家は女子寮としての機能が求められた。

★8　志賀理江子、せんだいメディアテーク著『螺旋海岸—notebook』(赤々舎、２０１３年)

★9　前掲『螺旋海岸—notebook』P・99

02

豪雨からの復興とアーティストのまなざし
——岡山県倉敷市真備町 放課後等デイサービス「ホハル」

南裕子

ホハル

2018年4月、アーティストの滝沢達史らが岡山県倉敷市真備町に開設した、発達障害のある子どもや、学校に行くことが苦手な子どものため学びの場（放課後等デイサービス）。同年7月に西日本豪雨による災害で水没したが、クラウドファンディングを活用して500万円の支援金を集め、被災から35日というスピードで復旧工事を終え、営業を再開した。

2018年7月、西日本豪雨がまちを襲った。私の故郷である岡山は台風も地震も避けて通ると言われるほど天災が少ない地域だったが、この時は甚大な被害を受けた。倉敷市真備町では川が決壊しまちごと濁流に飲み込まれた。SNSやニュースで被害の大きさを知るたびに「このままでいいのか、今すぐ帰省して何かしなきゃいけないんじゃないか」と焦るものの現場で力になれる自信がなく、結局ささやかな募金しかできなかった。それがなんとなくしこりになっていたのだが、そんな折に「真備にホハルという場所がある」と教えてもらった。話を聞くうちに「真備＝被災地」というイメージにすこんと風穴を開けてくれるような気持ち良さと可能性を感じた。あの日からもう2年が経ってしまったけれど、訪れるべきは今かもしれないと思い行ってみることにした。はじめて訪れたホハルでは代表の滝沢達史さんが庭先でにこやかに待っていてくれた。

放課後等デイサービス「ホハル」、西日本豪雨から再建した当日の様子

真備に誕生した子ども達の学びの場「ホハル」

「ホハル」は、2018年4月に誕生した放課後等デイサービス。発達障害のある子どもや学校に行くのが難しい子どものための学びの場として開所した。運営の中心を担うのは現役アーティストとしても活動する滝沢達史さん。都内の養護学校で美術教員としての勤務経験も持ち、過去には大地の芸術祭や瀬戸内国際芸術祭へ参加するほか、不登校の子どもとのアートプロジェクトや子どもの主体性に任せた表現活動の場「カマクラ図工室」[★1]の運営にも携わってきた。現在は、それぞれに保育や療育の経験がある家族と一緒にホハルを運営している。ホハルの名前の由来は「帆を張る」から。子どもが本来持っている自分自身で学び育つ力を大切にしていて、帆を張った船のように自分の力で前に進んで行けるようにと願い名付けられた。

そして、その教育方針がちょっとユニークだ。ホハルでは、大人が子どもに行動を指示したり「これはやっちゃだめ」と強制したりしない。いつ宿題をして何をして遊ぶか一日の過ごし方は子どもが自分で考える。新しいおもちゃが手に入った時も、皆で仲良く使えるように子ども達でルールを決める。(決まるまでそのおもちゃで遊べないからみんなまじめに考える)。そんな中で特にユニークと感じたのが「企画書」だ。山に探検に行ったり電車で遠出をしたり、いつもとちょっと違うことをしたいときは「企画書」を書いて提案すれば実現できるのだ。書く内容は、やりたいこと・スケジュール・予算・メンバーなど、大人の企画書とそっくり同じ。それを滝沢さんがチェックしてOKが出たら実行だ。時に電車を間違えたり財布を落としたりハプニングもあるけれど、大人はそれを後ろから見守るだけ。誰かが財布を落としたのを発見しても、遠回しに声をかけるだけで、子どもが自分で気づいて解決できるようにしているのだそうだ。

「超特急でホハルを再開する。」

2018年7月7日、そんなホハルを西日本豪雨が襲った。近くを流れる小田川の堤防

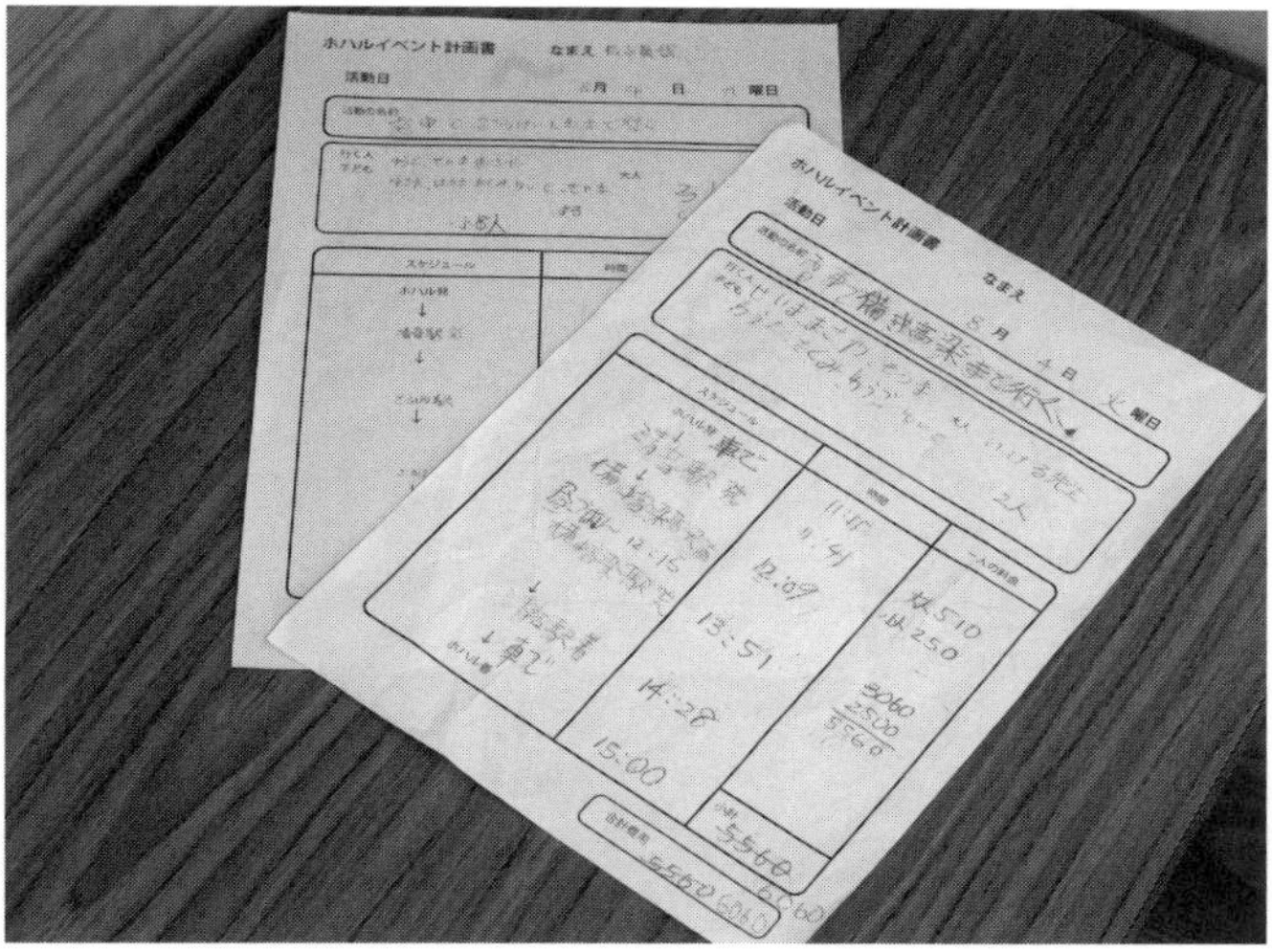

ホハルの子ども達が作成した「企画書」

が急激な水位上昇によって決壊し、まちに一気に水が流れ込んだ。全壊棟数は約4690棟。浸水深は最大で5・4m。開所からたった3ヶ月だったホハルも、2階に掲げた看板まで水に浸かってしまった。

滝沢さんは、水のひかない道を泳ぐように進み現場の状況を確認しに行った。ゴミや汚水の処理、建物の消毒、建材や什器の入替、業者への連絡や交渉などやるべきことが山積みだった。しかし、ホハルはなんと1ヶ月という驚異のスピードで元の姿を取り戻す。

「当時、子ども達は避難所で待つしかない状況でした。でも親御さんは家の再建も仕事もしなければならない。だからこんな時こそ預からないと、と思って一日でも早く再開し

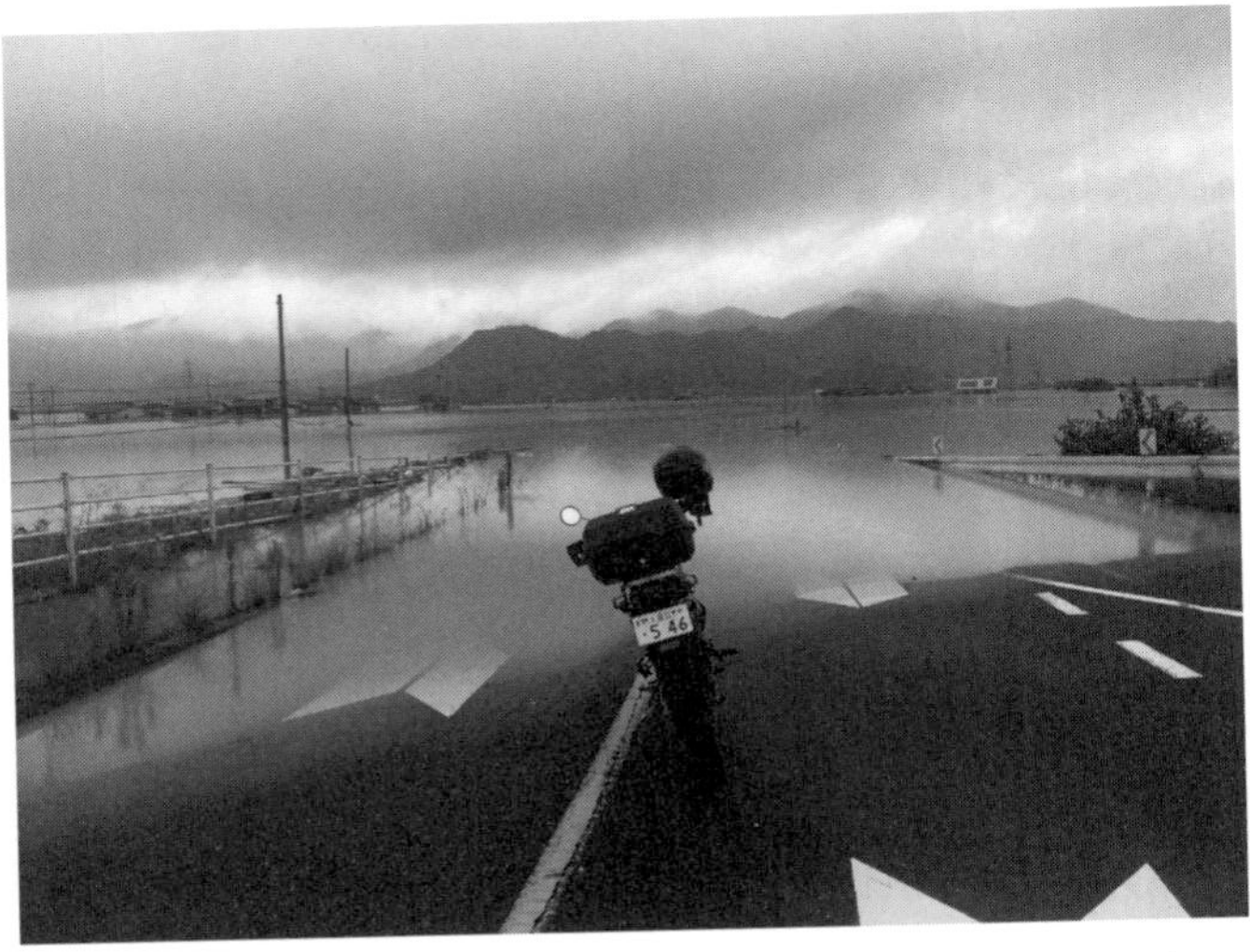

滝沢さん撮影、2018年7月7日の真備。下り坂の向こうは見渡す限り濁った水。ホハルが遠い

ようと動き始めました」（滝沢さん）
「超特急でホハルを再開する。」と宣言し、猛スピードで復興作業を進めることを決意した滝沢さん。その作業の合間合間に様々な地域でアートプロジェクトに携わってきた経験者が関わった。

思いをかたちに変える力

一刻も早い復興のために、滝沢さんはまずはクラウドファンディングを立ち上げた。クラウドファンディングのプラットフォーム「READY FOR」の担当者からは「熊本地震の時の例を考えるとリターンなしでも支援金は集まるはず」と言われたが、本当にそれでいいのかと立ち止まった。知人にも相談したところ「せっかくアーティストなのだから、アーティストらしいクラウドファンディングをしてほしい」と背中を押され、単なる寄付のよびかけで終わらせず、ひとつのアートプロジェクトとして展開することに決めた。それは、泥だらけになったホハルのおもちゃをリターンとして全国の支援者に届けることだった。

「泥をかぶってしまったおもちゃをゴミ袋に入れていくのが切なくて……。衛生的にはもう使えない、でも、これを届けることで離れた人にも現場のリアルな経験や気持ちを届けられるかもしれない、本当は現地で手伝いたいけど様々な事情で行けないという人にも被災地の空気を共有できるかもしれないと思ったんです」（滝沢さん）

そうしてスタートしたクラウドファンディングには次々に支援が集まり立ち上げから一晩で100万円を達成。中には数万円の高額枠もあったがそれもあっという間に埋まり、最終的に500人以上から目標金額の倍近い500万円が集まった。

大変な事態を大変だと嘆くのは簡単だ。しかしそんな時でも、いや、そんな時だからこそ思いを形にして伝えるために行動できるのはアーティストだからなせる技だろう。

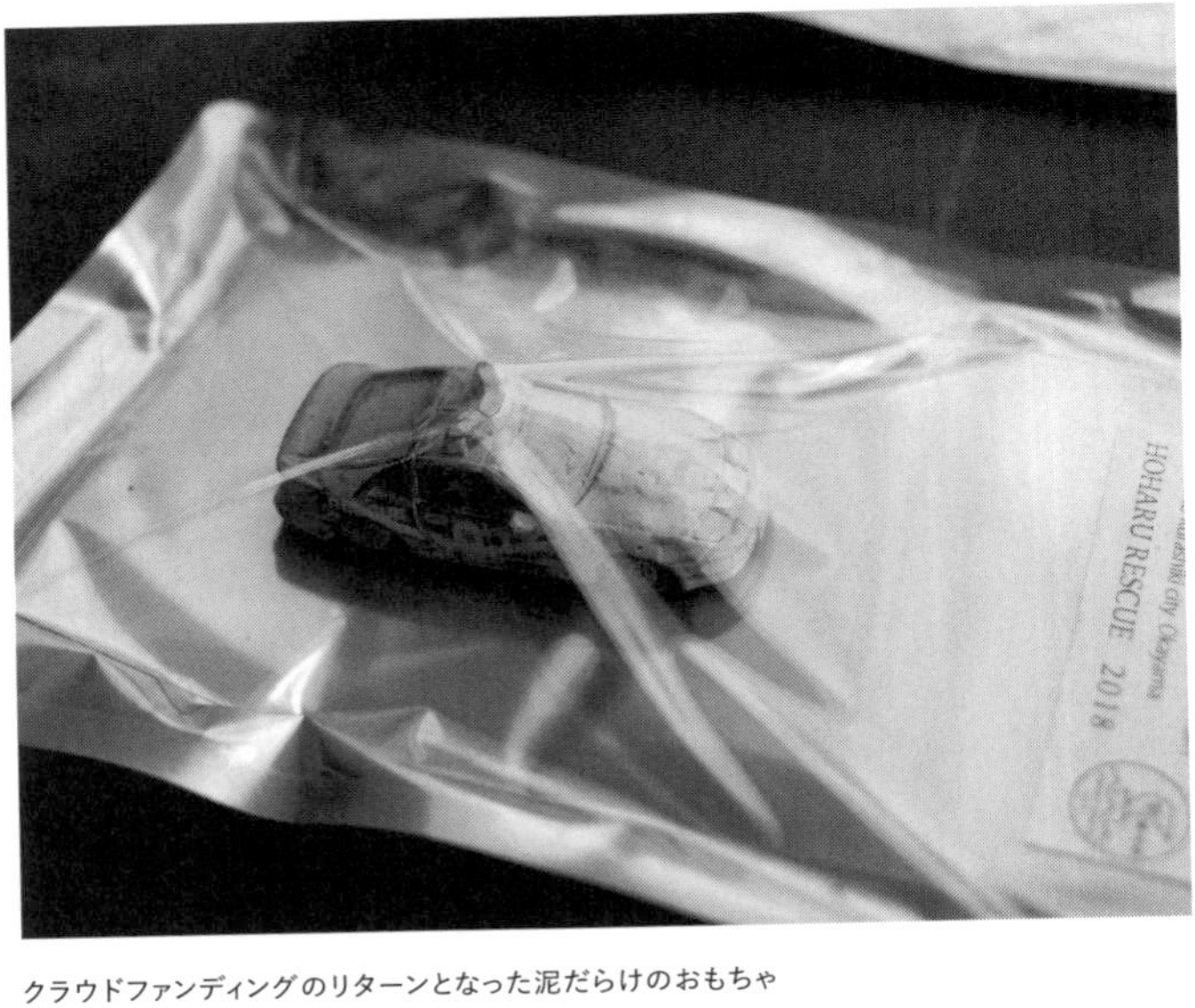

クラウドファンディングのリターンとなった泥だらけのおもちゃ

支援する側の人々もこうしたプロジェクトが介在することでアクションを起こしやすくなる。災害という深刻な状況下では「自分なんかが被災地の為に何ができるだろう…」と、真剣に考えるがゆえに手を出せないという人も多い。ホハルのクラウドファンディングはそんな断絶を繋ぎ止め、被災地と人々との「橋渡し」となった。

アートプロジェクトは意識しなければなかなか交わらない世界と人との「橋渡し」となることも多い。たとえば横浜市黄金町［★2］では、治安が悪化し一度は住民が離れた〈まち〉と〈人〉をアートを通じて繋ぎ直す活動が行われている。デリケートで手をだしにくいと思われがちな課題や、参加したくてもどう関わればいいかわからないと感じてしまう時……そうした時こそアートプロジェクトの有効性は際立つのかもしれない。

多様な人々による適材適所の活躍

クラウドファンディングの進行と同時に、現場では建物の清掃作業が進む。入れ替わり立ち替わり様々な人がボランティアに訪れ、泥をかき出し、壁をはがし、汚れた建物や備品を消毒していく。現場の様子はどんなものだったか、ボランティアの一人、宇野澤昌樹さんはこう語った。

「一日だけですが知人づてで話を聞き当時住んでいた豊島から参加しました。僕は側溝のどぶをかきだしたり庭の樹木を洗ったりしましたが、他にも水に濡れた書類を救出したり、建物の消毒が入る前に室内を掃除したり、ゴミの廃棄に行ったりという作業もありました。清掃業者がまだ動いていないから自力で捨てに行かなきゃいけないんです」（宇野澤さん）

この日現場には宇野澤さんのほか、倉敷市大原美術館学芸員の柳沢さん、滝沢さんのアート関係の知人、岡山大学の学生、大阪からボランティアに来た男性教員（銭湯でたまたま出会い滝沢さんがスカウト）などがいた。中には宇野澤さんのように真備のために何かしたいという思いで「一日だけでも」と駆け

建物の清掃作業の様子

つけた人も。立場も条件もばらばらのチームだったが現場には不思議な連帯感が流れていたという。同日参加した橋本誠さんは「司令塔はもちろん滝沢さんだけど周りも現場慣れしていて、指示待ちにならず何かしたり、どの程度まで進めればいいか把握している感じがあった」と語った。たとえば大原美術館の柳沢さんは保存修復の専門知識を活かし重要書類の救出作業を引き受けた。橋本さん自身も各地のアートプロジェクトの記録映像やドキュメントブックの編纂を手がけた経験を活かし、清掃作業のかたわらその様子を細やかに写真や映像に記録した。そんな風に皆がそれぞれのスキルや経験をもとに現場に向き合っていたという。

アーカイブをすることの重要性

復興作業中、滝沢さんはさまざまな記録を残した。

ひとつは前章でも触れた写真や映像だ。被災当日のホハル周辺の景色、再建作業の様子、そして再稼働した日の子ども達の弾けるような笑顔まで細やかな記録が残っている。その記録は写真集や冊子となり被災地のリアルを伝えるアーカイブとして人々の手に渡った。業者との打ち合わせ中に滝沢さんが「このままだと予算が足りない」と渋い顔でこぼすシーンまで映像に残っていて、それはクラウドファンディング中に復興現場の「今」を伝える動画となって公開された。

めまぐるしい日々の中でこうした記録が残っているのは、意識的にアーカイブを残そうとしていたからに他ならない。アートプロジェクトにおいてアーカイブは非常に重要な仕事だ。イベントや展覧会は展示期間が限られている。その価値を後々まで伝えるには記録を残さねばならない。完成した作品の解説だけでなく、制作プロセスやレガシーもまとめ、助成事業の報告書や将来一緒に仕事をする人へのプレゼン資料として活用していくのだ。

「この一連の流れがアートプロジェクトを経験していると体感的に身についてくるんです。最終的にどうアーカイブするかイメージ

ホハルが超特急で再開するまでの1ヶ月をまとめたチラシ

できるから、復興作業中でも撮るべきシーンや撮り方がわかる。だから泥かきの途中でも手を止めてカメラを回してもらっていたんです」（滝沢さん）

また、アーカイブという観点では、子ども達による「ホハル 1日だけの写真展」も印象的だった。子ども達に写ルンですを配り、撮った写真を集め、真備町内の倉庫で展覧会を行ったのだ。

「本当はこどもボランティアを組織しようとしていたんです。子どもってつい排除されて蚊帳の外になってしまう。（大人が）守るものだと思い込んでいるんですね。でも本当は大人と同じテーブルについて物を考えることもできるはず。それで、まずカメラをあげてみ

子ども達の写真を集めた1日だけの写真展。真備町内の倉庫にて

たんです」（滝沢さん）
子ども達は、はじめて触れる写ルンですに目を輝かせまちへ飛び出した。現像した写真を集めてみると、そこには報道写真とも大人が撮る写真とも違う、子どもの視点から見たリアルな被災地が写っていた。
「おもしろいですよ。大人なら割れた地面とか被災風景らしいものを撮るけど、子どもの撮る写真には意図も脈絡もない。その子がおもしろいと思ったものを撮っているだけなんです。かき氷とか、めだかとか、寝ている人の鼻毛とか（笑）でもその人の向こうには被災してからっぽの家があったりして……僕らだったらそんなの撮れないよ。おもしろいよね。にくいよね」（滝沢さん）

復興から生まれた地域のつながり

被災当時、ホハルは開所してまだ3ヶ月。地域での認知度はまだまだ低かったが再建作業や真備全体の復興が進むにつれ地域との繋がりが生まれてきた。「最初はただの福祉の人間を装っていたのに〝アーティストらしいぞ、色々できるらしいぞ〟とバレて忙しくなっちゃった」と滝沢さんは笑った。

たとえば「チャリTプロジェクトフェスティバル」。チャリンコ（自転車）のTシャツを買うことで被災地支援を行うまさに「チャリティー」なプロジェクトだ。心に病を持った人々の自立支援を行うNPO法人岡山マインド「こころ」や、生活介護事業所「ぬか」の主催で、県内のファッションブランド「ジョンブル」、そしてホハルなど、福祉団体・アーティスト・企業・市民が垣根を超えて集い開催された。ここでの繋がりはその後の活動の礎にもなっているという。

さらに2019年3月には「一般社団法人お互いさま・まびラボ」（以下「まびラボ」）が誕生。ホハルやNPO法人マインド「こころ」もその一員となった。「まびラボ」は地域の医療や福祉に関わる団体や個人が集う復興まちづくり会社。要援護者をはじめとした地域の人の声をもとに誰もが住みやすいまちづくりをめざす団体「真備連絡会」が前身で、そこで集めた声を実践に移すために法人が必要になり設立された。その「まびラボ」の代表はなんとホハルの子ども達。設立総会で代表理事を決める際、同席していた子どもが「はい！」と元気よく手を上げ会場中に笑いと拍手があふれ、そのまま任命されたのだという。豪雨から8ヶ月。いつのまにか滝沢さんとホハルの子ども達は真備のまちづくりを担う重要な存在になっていた。

小さな声を聞く

豪雨から2年経った頃、まびラボは「川と暮らす」という記録誌を制作した。制作の音頭をとったのは前章でも登場したNPO法人岡山マインド「こころ」の多田伸志さん。編集と制作を滝沢さんが引き受けた。

ページを開いて最初に目に飛び込んでくるのは「小さな声を聞く」という言葉だ。子どもの声、お年寄りの声、体の不自由な人の声……そうした声はつい埋もれてしまう。災害の現場ではなおさらだ。そんな小さな声をすくいあげ、語り継ぎ、世の中に問いかける。そんな役割を「川と暮らす」は担った。

たとえば先述の多田さんは、被災後に真備で立ち上げたイベント「地ビールと音楽の夕べ」(「まちコン」という愛称でその後1年間継続)について綴った。居場所を失った町の人達が笑顔で真備に帰ってこれるきっかけを作ろうと始まったイベントだが、始まりは「こころ」の入居者達の「自分達を優しくまちに迎え入れてくれた真備の人たちを、今度は自分たちが迎えてあげたい」という思いだったことが残されている。また、ある男性は、障害のある近所の母子を助けられなかった胸の内を綴った。心に残った棘のようなその記録は「助けられるまちでありたい」という将来への願いに繋がっていくかもしれない。

これらの「小さな声」の記録は、近い将来1冊の本になる。26人のインタビューを掲載した本は、人々の声を語り継ぐ貴重なアーカイブとなり将来のまちづくりにも影響を与えていくだろう。

ホハルは終わりのないアートプロジェクト

豪雨からの復興作業を通じて地域と繋がりを深めていったホハル。超特急のホハル再建後も「まびラボ」の活動やホハルの運営で大忙しだったろうと思い滝沢さんに聞いてみると「もちろん忙しかったけど、でも

「川と暮らす」表紙

楽しかったんです」と意外な答えが返ってきた。

「〝災害ユートピア〟って知ってます？　災害が起きて社会の秩序やルールが崩壊したとき、人と人との間には優しさが生まれるという考え方なんですけど、真備もそうで被災直後は信号が全部止まってても車も人もみんな自然と譲りあい渋滞が起きなかった。でも信号が復活したとたん〝我先に〟となってしまったんですよね」（滝沢さん）

なるほどと頷いていると、滝沢さんは「通常のシステムが停止したときってワクワクしますよね」とにやっといたずらっぽく笑った。想像を超えた状況もまずは受け入れてみる。なんだかとてもアーティストらしい言葉だと感じた。

「ホハルは放課後等デイサービスだけど、僕にとっては社会実験の場であり、自分が納得いくまで続けられるアートプロジェクトの拠点なんです。実は以前から招聘されて作品を作るだけじゃなくて、経営的にも社会的にも継続して関わっていける場所が欲しいと思っていました」（滝沢さん）

その実感が強まったのは2013年から参加した「喜多方・夢・アートプロジェクト」の時。原発による風評被害をこえて地域資源を活かしながらアートでまちを盛り上げるプロジェクトで、滝沢さんとしては「一生関わるかもしれない」とまで思っていた。しかし、4年で終了が決定。震災から時間が経ち自治体予算がつかなくなってしまったのだ。「そのとき〝納得いくまで取り組める

自分発信のプロジェクトをやりたい〟と強く思ったんです」（滝沢さん）

ホハルは終わりのないアートプロジェクトの拠点であり、社会実験の場。滝沢さんの「実験」は、子ども達やまちの力を借りてこれからどんなふうに花開くのだろう。

真備のまちと未来に向かう

そんな滝沢さんが、「まびラボ」の仲間達と今進めている「実験」を紹介したい。

ひとつは「福祉避難所」作りだ。障害のある子どもやその家族は、避難所の環境になじめなかったり他の避難者に気を使ったりして、車中泊をしたり、時には避難所から追い

子どもと談笑する滝沢さん

出されてしまう場合もある。そこで、有事の際も障害のある人や高齢者が安心していられるような、彼らに特化した場所作りを目指しているのだという。

前例がないため行政との交渉は一歩一歩らしいが「まずは自分たちのできることからはじめてみます」と滝沢さんは明るく語った。その第一歩が2020年に生まれたホハル第2の拠点「ホハル美川」だ。有事の際にはここを避難所として解放し、ホハルに通う子どもとその家族だけでも安心して過ごせるように準備を整えている。

さらに、まちに残された仮設住宅を将来福祉避難所に活用できないか国交省と協議を重ねている。それを聞いてベネッセアートサイ

ホハル美川全景

ト直島の「家プロジェクト」[★3]や黄金町エリアマネジメントセンターの取り組みが思い浮かんだ。空き家をアートの力で蘇らせ作品化し、それがひとつまたひとつと増えるうちに周辺エリア全体の活性化に繋がっていった事例だ。この「福祉避難所プロジェクト」も、将来、周辺エリアを魅力的に変えていく起点となるかもしれない。そんな展開を想像するとまた真備の未来が楽しみになった。

ホハルの社会的な位置付けは、数ある放課後等デイサービスのひとつかもしれない。しかし、そこにはそうした枠組を超えた可能性がつまっていて「ここからワクワクする何かが生まれるはず」という予感に満ちている。それはきっと、滝沢さんの何が起きてもまず

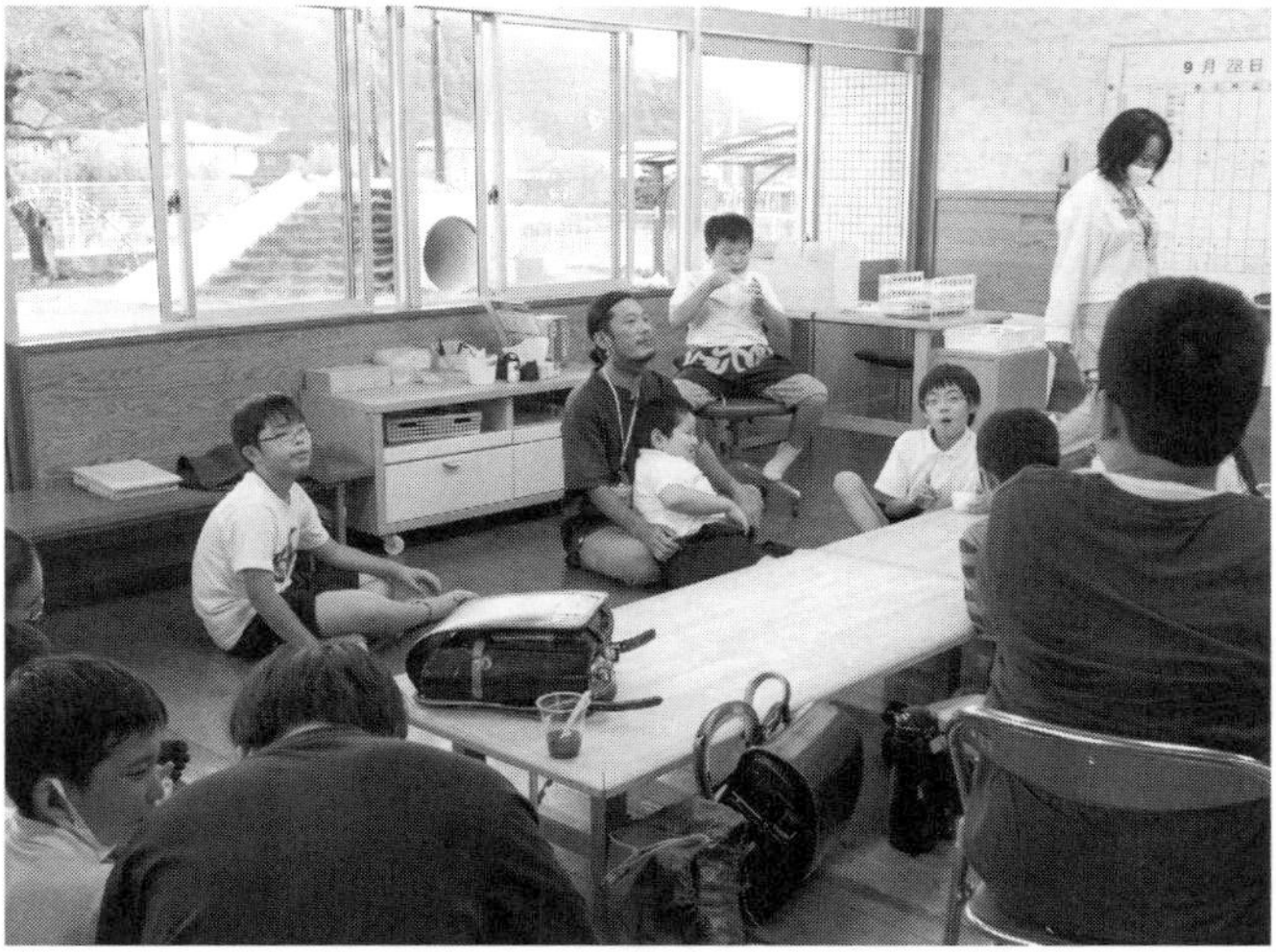

ホハル美川の子ども達の様子

は受けとめる柔軟さ、思いをかたちに変え届ける力、そこにいる人の声に耳を傾け小さな変化もすくいとろうとするまなざしに依るものが大きいだろう。そして何より「企画書」片手に探検に出るホハルの子ども達と同じように、道に迷っても困難にぶちあたっても笑って前に進んでいく力。そこに共感してできた地域の人々の輪が「ホハル」の今の姿を作ってきたのだと感じた。

福祉避難所となる講堂。普段は子ども達の遊び場。
倉庫には食料や発電機や毛布が備蓄されている

★1　**カマクラ図工室**｜社会全体を図工室に見立て、子どもが多様な個性と関わりながら新しいモノやコトをつくり出す場。2014年に保健室登校ならぬ「美術室登校」という積極的不登校をする子どもが、仲間と展覧会を自主企画・運営したことから活動スタート。教員・アーティスト・市民が協働し、子どもが自ら行動し創造力を培うことができるようサポートしている。

★2　**黄金町**｜2005年、初黄・日ノ出町地区（横浜市中区初音町、黄金町、日ノ出町）に密集していた違法風俗店の一斉摘発が行われた後、空居となった建物を活用してアートで創造的で特色ある「界隈」に刷新する活動が始まった。現在もNPO法人黄金町エリアマネジメントセンターを中心に、地域・行政・警察・大学・アーティストが連携して活動を進めている。

★3　**家プロジェクト**｜瀬戸内の島々を舞台に株式会社ベネッセホールディングス、公益財団法人福武財団が展開しているアート活動「ベネッセアートサイト直島」の一環で展開されているプロジェクト。1998年開始、島に残された空き家や寺社を改修し、空間そのものを作品化している。

COLUMN 1

地域における人々の営み——祭りとしてのアートプロジェクト

橋本誠

典型的な地方都市と言える岡山県岡山市で思春期を過ごし、雑誌・FMラジオ・ミニシアターを通してふれるファッション・音楽・映画のかっこよさに魅せられ、映像表現について勉強ができそうな大学進学のため2000年に上京した私にとって、現代美術やアートプロジェクトとの出会いは衝撃的だった。「なぜこんなことをやるのか」「何が起るのか予測できない」「見るだけや手伝い感覚ではなく、自分ごとにした方が楽しめる」。越後妻有アートトリエンナーレ（2000〜）、横浜トリエンナーレ（2001〜）、デメーテル（2002）など大型芸術祭へボランティアや熱心な鑑賞者として参加する中で最初に感じた印象だ。

興味は深まり、取手アートプロジェクト（1999〜）、アサヒ・アート・フェスティバル（2002〜2016）、黄金町バザール（2008〜）など各地で行われている中小規模の現場にも足を運び、自らも横浜・寿町でKOTOBUKIクリエイティブアクション（2008〜）というアートプロジェクトを立ち上げ、仕事で墨東まち見世（2009〜2012）をはじめとする東京都内の現場の中間支援に携わり、各地を取材や視察というかたちで、さらには私的にも訪ねるようになってから見えてきた風景がある。

地域における芸術祭やアートプロジェクトに関する考察は、様々な形で研究や書籍化が進んでいることもあり、本書ではあえて主要なテーマとはしなかったが、ここでわずかながら、個人的な視点も交えてふれておきたい。

芸術祭・アートプロジェクトの構造
——瀬戸内国際芸術祭

各地で行われている芸術祭・アートプロ

椿昇＋室井尚「The Insect World」（横浜トリエンナーレ2001）

ジェクトには、地域の内外から多くの来訪者を呼び寄せる力や、人々の間に多様なつながりを生み出す、地域振興・観光にとどまらない力がある。

私のように、現代美術やアートプロジェクトに魅せられた者は、興味のあるアーティストを追いかけ、美術館・ギャラリーといった枠組みにとらわれず、様々な地域へ行動範囲を広げる。それ自体が観光的な行動だ。あるいは地域のイベントとして、必ずしもアートに興味があるわけではない人々も呼び込むことになる。それぞれの地域で生活する人にとっても、アーティストや来訪者の視点でその地域を知るきっかけになる、そんな入口が用意されていることが多い。様々なかたちで、人が地域と出会う機会、人と人が出会う機会を生み出しているのだ。

例えば瀬戸内国際芸術祭（2010〜）。作品はもちろん、穏やかな瀬戸内海や独特の島なみを楽しみながら、船を乗り継ぎ、めぐり歩く体験自体が価値となり、近隣や国内からはもちろん、世界中から人を集めている。数字だけで見れば、2019年は計107日間の会期中にのべ118万人が訪れ（うち約23％が外国から）、約13億円（うち県市町等の負担金は約6億円）の予算規模に対して、経済波及効果は180億円（うち直接効果は112億円）と報告されている。

3年に一度の芸術祭会期外にも公開される作品や、美術館等の施設も多くあることから、舞台となる主要な島々への航路を持つ高松港（香川）や宇野港（岡山）などには芸術祭開始年以降、ゲストハウスや喫茶店等の開業が相次ぎ、海上タクシーやレンタサイクル事業者、島への移住者が増えるなどの効果もある。男木島では子育て世代の移住などがきっかけとなり、2014年から6年ぶりに小中学校が再開された。

このように、特に行政が主導する大型の芸術祭では成果としての数字や、地域課題に対する効果が注目されがちだ。しかしそれらにつながる動きを生み出しているのが、多様な人が関わり、交流を生み出す「アートプロジェクト」の性格である。「芸術祭」という大きな傘のもとに、ひとつひとつはささやかなことでも、たくさんの人々の営みが生まれていることと自体が大きな価値なのだ。

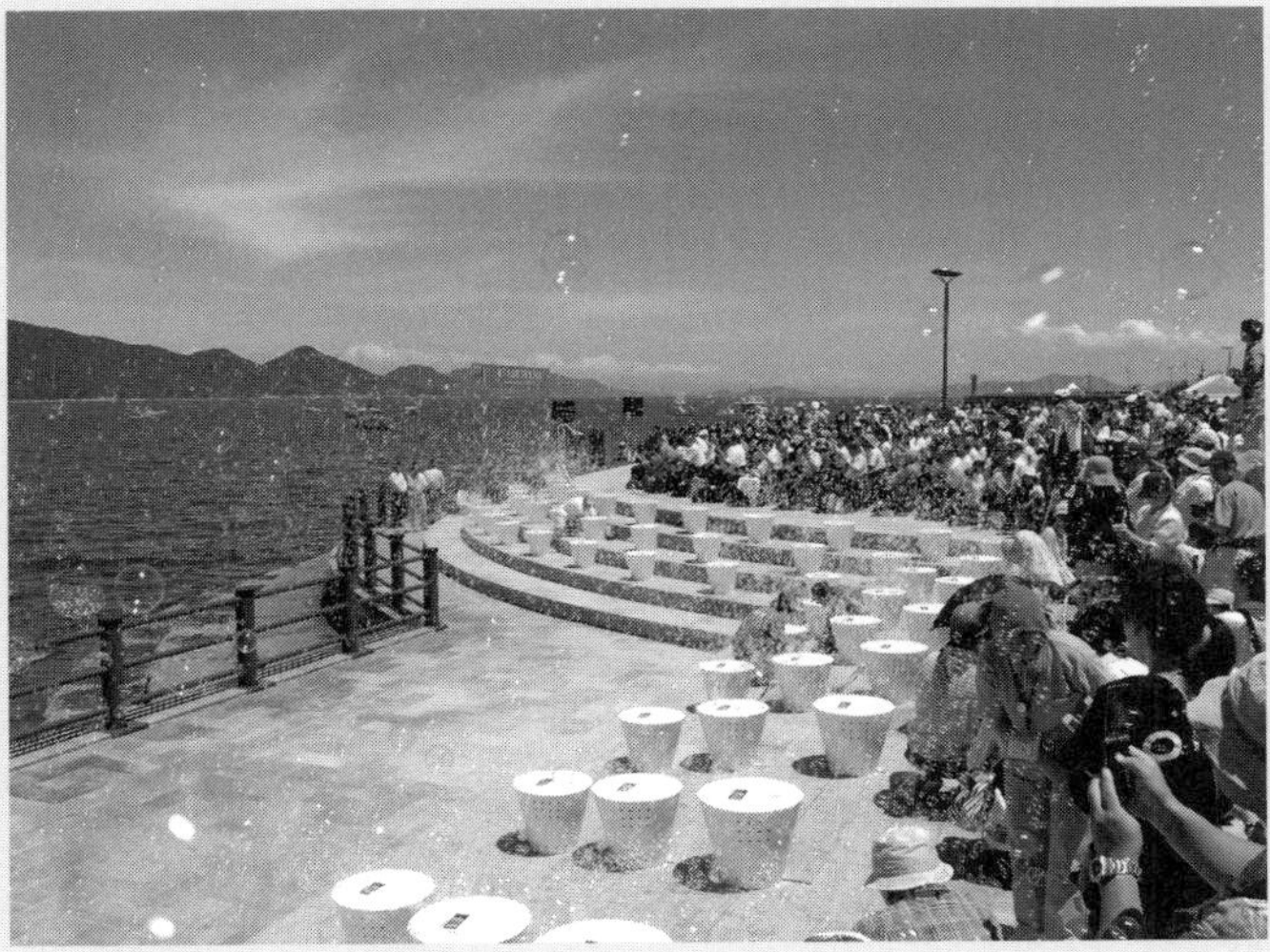

大巻伸嗣「Memorial Reborth」(瀬戸内国際芸術祭2010)

島と人の関係を編みなおす——五十嵐靖晃「そらあみ」

瀬戸内国際芸術祭の一環として、2013年、2016年、2019年と行われてきた、五十嵐靖晃による「そらあみ」というアートプロジェクトがある。色とりどりの糸で編まれた漁網が海辺に立ち並び、瀬戸内海や島の風景を借景にたなびく作品だ。これは五十嵐自らの手だけで制作したものではなく、舞台となる島民の方々と共に制作している。

2013年は、瀬戸大橋が開通するまでは定期航路でつながっていたという沙弥島（しゃみじま）をはじめとする5つの島（与島諸島）に暮らす方々と計24回のワークショップを実施。出来上がった5つの網を連結して、高さ5メートル、幅60メートルの作品に仕上げて浜に設置した。2016年には、塩飽諸島10島に対象を広げた。「そらあみツアー」と銘打って、島外からの参加者が島民に制作を学びながら参加する機会も設けている。

作品を共に編むという時間を過ごす中で、参加者はそれぞれ手を動かしながら、島の漁業や歴史のこと、それぞれの生活のことを話す時間が自然に生まれるという。それは航路と共に減ってしまった島同士の新たな交流の機会となり、島外からの参加者が、また足を運んでみようと思うきっかけにもなる。作品が展示される芸術祭の会期中には、制作に関わった島民、ボランティア、はじめて島を訪れた方々による新たな交流が生まれ、制作のプロセスやエピソードも伝えられていく。

瀬戸内の島々をテーマにした雑誌『せとうちスタイル』で五十嵐の作品を特集したこともある編集長の山本政子さんは、「漁師さんたちと網を編む作業に参加していると、島との距離がぐっと縮まる。アーティストと島の人たちの何年にもわたる交流こそが芸術祭の魅力だ」と語る。

そらあみには、「漁網を編むことで、人と人をつなぎ、記憶をつなぎ、完成した網の目を通じて土地の風景をとらえ直す」という五十嵐のコンセプトがある。私のような来訪者は、これを手がかりにしながらも、それが押し付

五十嵐靖晃「そらあみ」(瀬戸内国際芸術祭)

けではなく、関わる人たちの実感を持った声となっているのを感じることができた時、あるいは、コンセプトが人それぞれに解釈され、さらに広がりを見せている時。これが漁師の生業としての作業でもなく、アーティストがひとりで制作する作品でもなく、たくさんの人々による「プロジェクト」としての営みならではの豊かな現象が起きていると感じる。芸術祭という枠組みの中で、このような性質をもち、時には形を変えながら継続的に行われているアートプロジェクトならではの風景が生まれているのだ。

五十嵐さんは「アートプロジェクトはものだけではなく、ことづくり。単発のイベントではなく、新しい文化が生まれたり、更新さ

五十嵐靖晃「そらあみ」(瀬戸内国際芸術祭)

れ続けていくといい。そこにいる人の気持ちが本当の意味で動くということが、それにつながると思っている」と語る。

都市部のまちづくり・コミュニティとの関わり
――あいちトリエンナーレ「長者町山車プロジェクト」

それでは瀬戸内のような環境とは異なる、都市部で開催されている芸術祭・アートプロジェクトの現場ではどのようなことが起きているのか。愛知県名古屋市などで開催されてきたあいちトリエンナーレ（2010〜）は、美術館や劇場を主会場としながら、一部をまちなかの空き物件等で開催する形式で継続している。その中でも、2010年、2013年、2016年に会場となっていた名古屋市の長者町地区には大きな影響をもたらした。

長者町は名古屋の中心街にあり、かつては繊維問屋街として賑わいをみせていたが、産業構造の変化や都市の空洞化が進むなかで、まちづくりに課題を抱えていた。例えば地域に人を呼び込むイベントとして、2000年に新たなお祭り「ゑびす祭り」を立ち上げたりもしてきたが、地域の結束力や担い手が不足。アーティストユニット・KOSUGE1-16はこの状況の一つの打開策として、戦争で消失してしまった長者町の山車の存在に着目して「長者町山車プロジェクト」を立ち上げた。

「ゑびす祭り」に合わせて、地域のストーリーを盛り込んだからくり仕掛けのある巨大な山車を制作してお披露目をするというプロジェクト。どこにでもありそうな、人手さえあれば動かせる山車ではなく、オリジナルにこだわって制作した山車は、地域が一丸となって組立、練習、曳き回しの一連の流れをすることで命がふきこまれる。

トリエンナーレの開催で賑わうなか、これまでにない形でまちをあげてこれに取り組むことで地域の結束が高まり、翌年以後のお祭りでもこの山車を活用する機運が生まれた。

KOSUGE1-16「長者町山車プロジェクト」(あいちトリエンナーレ2010)

また、そのための運営資金をはじめとしてアート活動を継続するための組織「長者町アートアニュアル実行委員会」が、まちづくりに携わる若手の経営者らの呼びかけにより発足した。

山車プロジェクトに携わり、長者町でまちづくり活動の中心人物である堀田勝彦さんは「アートは様々な人を緩やかに結び付け、まちづくりの一番の敵である〝無関心〟を減らすことにおいて効果を生む」と当時を振り返る。

そして、トリエンナーレをきっかけに長者町に関わった方々を中心としたアート活動や、まちの研究会など様々なグループも立ち上がり、長者町での自主的な活動が継続的に行われていくという動きも生まれた。瀬戸内の諸島部など過疎化や高齢化が進んでいる地域とは異なり、現役の学生や社会人などが日常的に携わりやすい都市部ならではの動きだ。

長者町を拠点とするＮＰＯやエリアマネジメント会社の代表を務め、アーティストとまちの人をつなぐ役割などを担ってきた名畑恵さんは「アートに興味をもって地域に入ってきた方が、まちづくりの議論に参加してくれるようになるなど、まちの担い手が多様になった」とその実感を語っている。

なお、まちづくりにアートプロジェクトを生かす試みとして、名古屋港地区で港まちづくり協議会が２０１４年から取り組んでいる「アッセンブリッジ・ナゴヤ」にもこの動きが飛び火しており、長者町の活動に携わった担い手が複数名参加するなどしている。

地域の中で新しい活動やつながりを生み出す——墨東まち見世

東京都墨田区の北部地域を中心として、2009~2012年の間に毎年開催された「墨東（ぼくとう）まち見世」においても、長者町の事例と近しい現象が起きていた。

戦火を逃れ、木造家屋や町工場などが多く残るこの地区では、細い路地や空き家の多さから防災をはじめとするまちづくりが課題となっていた。そんな中で、空き家や町工場をセルフビルドやそれに準じる形で住居やアトリエとして活用する移住者やアーティスト、カフェなどのお店をはじめる方が増えつつあった頃にはじまったのが墨東まち見世だ。

回を重ねる中で、年に1-2組のアーティストを招聘して行う企画と並行して充実していったのが、公募により既に地域に携わる人々による主体的な活動などを支援する「ネットワークプロジェクト」だった。それはアーティストのオープンスタジオやカフェで行う演劇公演のような本格的なものから、公開リノベーション、子ども向けワークショップ、ちょっとした上映会、食事会、本の物々交換など多岐に渡った。

墨東まち見世全体の動きに刺激を受けながら、秋に設けられたメイン会期に合わせて「何かをやってみよう」という人やグループが増え、それぞれの企画に参加してみたり、それをきっかけに翌年は新しいコラボレーションが生まれた。企画をきっかけにした、日常的な交流も盛んになっている。

また、会期外にも自発的にネットワーク型のイベントに取り組む動きも生まれ、独立した企画として「39アートin向島」が2010年にはじまり、2019年まで毎年行われた。

墨東まち見世にボランティアスタッフや観客として関わりながら、社会学の視点で研究を行っていた金善美は、これらの顕著な地域への影響のひとつとして「新たな地域コミュニティの形成」を

墨東まち見世屋台（墨東まち見世2009）

挙げている。「知らないまちに新しく引っ越してきた若者にとって、まち見世は地域との接点を提供し、近隣関係を作るきっかけとなった」「若い新住民のコミュニティは既存の住民組織・まちづくりの流れとも緩やかなつながりを持ち、ゆっくり、しかし確実にそれまでの下町になかったもうひとつの社会的世界を作り出している」と公式ドキュメントに記している。

近所付き合いが希薄になりがちな現代の都市部におけるアートプロジェクトの意義は、地域の外から人を呼び込むだけではなく、地域の中でもこのような新しいつながりや活動を生み出すきっかけになる側面が強くなる傾向にあると言える。

なお墨東まち見世は、東京都、東京文化発信プロジェクト室、NPO法人向島学会が共催する事業として2012年で活動を終えたが、その後も一部の活動は継続し、2016年から墨田区などが推進している「隅田川 森羅万象 墨に夢」の活動にもその要素が引き継がれている。

祭り＝人々の営みとしてのアートプロジェクト

各地の現場を訪れ、様々な状況を見聞きする中で、それぞれの地域における「祭り」のあり方が、多様な芸術祭・アートプロジェクトのあり方と重なって見えることがある。

国東半島芸術祭（2014）開催地のひとつだった、大分県国東市で行われている「ケベス祭り」は奇祭好きの方には全国的に知られており観覧も受け入れているが、関係する集落の方々にとってはあくまで地域の祭礼であり、住民が会する機会だ。起源も由来も不明と言われながら、謎めいた踊りや火の粉が舞うクライマックスのひと時が内外の人を魅了し、再訪を誘う。その年々で雰囲気が少し違っているのもいい。その中心にあるものが芸術作品だったとしても、同様の状況が生まれることがあるのかもしれない。

先に例を挙げた、長者町の「ゑびす祭り」のように、地域を盛りあげるために新しく始まる祭りも各地にあり、その形態は新しいが故に、毎回試行錯誤を重ねながら変化していたりもする。長者町ではオリジナルの山車を組み込むという新しい提案が定着し、祭りのあり方がアップデートされた。他にも、新しい盆踊り、キャンドルアートなど、各地にアーティストやクリエイターによる新たな提案により更新されている祭りが多くあるだろう。数百年続くようなお祭りであっても、長い目で見れば継続していくために、形式の遵守に縛られず実は幾度もの変化を重ねているものもある。

また先述の「墨東まち見世」におけるネットワークプロジェクトや、本書でも紹介している「混浴温泉世界」「in BEPPU」と同時期に開催されてきた「ベップ・アート・マンス」のように、内容を芸術作品など特定の分野に限らず、地域の人の主体的な「何かをしたい」「表現したい」「盛り上げたい」「楽しみたい」という思いと行動が集まった、文化祭的なものもある。

それぞれの祭りの主役は、アーティストであったり、市井の人であったりと様々だ。祭りを支える脇役の存在も欠かせない。祭りは常に、誰かとの協働により成立している。そして日常生活とも地続きである。地域に活力を与える、参加性のあるフォーマットとして「祭り」を捉えると、各地で行われている芸術祭・アートプロジェクトとの共通項が見えてくる。

それは人の手により生み出された、前向きで、文化的で、創造的な営みであり、経済的な価値へ簡単に置き換えることのできない地域力や社会関係資本を生み出す。時代を参照

ケベス祭り

しながら、そこにいる人々に作用し、地域の本質をたがやしてくれる。「そらあみ」の五十嵐の言葉をかりれば、正に「新しい文化が生まれたり、更新され続けていく」ということだ。

本書を制作したコロナ禍では、人が集うこと自体が難しくなり多くの祭りやイベントが中止・延期に追いこまれたり、実施形態の変更を余儀なくされた。その中でも行われたもの、オンラインで公開されたものなどにもそれぞれの意義を見出すことはできるかもしれないが、その本質が失われていると感じることがほとんどであった。この状況がいつまで続くのかわからないし、いつの時代も、我々は様々な災いに向き合いながら生きていくはずだ。だからこそ、誰もが生きる活力を得るために、人々の尊い営みとしてのお祭り、アートプロジェクトに出会えることを願っている。

参考資料

「瀬戸内国際芸術祭2019総括報告」瀬戸内国際芸術祭実行委員会、2020

「アートプロジェクト：芸術と共創する社会」熊倉純子・監、菊地拓児／長津結一郎・編集、水曜社、2015

「トリエンナーレはなにをめざすのか：都市型芸術祭の意義と展望」吉田隆之・著、水曜社、2015

「アーツ前橋シンポジウム～地域とアートを紡ぐ3日間～ドキュメント」アーツ前橋、2014

「墨田のまちとアートプロジェクト：墨東まち見世2009―2012ドキュメント」墨東まち見世編集部・編、東京文化発信プロジェクト室、2013

03

障害福祉事業を核にした社会への問いかけ
——静岡県「クリエイティブサポートレッツ」と「表現未満、」

橋本誠

認定NPO法人クリエイティブサポートレッツ

静岡県浜松市を拠点に障害福祉事業を営みながら多様なプロジェクトを実施。障害や国籍、性差、年齢などあらゆる「ちがい」を乗り越えて、全ての人々が互いに理解し分かち合い共生することのできる社会づくりを志している。2000年設立、2004年法人化。

——

障害のある人と社会の関わりを問いかける

クリエイティブサポートレッツ（以下、レッツ）は、静岡県浜松市を拠点に障害福祉事業を営みながら、障害の有無に関わらず多様な人々が交流する機会づくり、障害のある人と社会の関わりを問いかける活動を行っているNPO法人だ。ここで核になる人は、アーティストというよりは、日々をレッツが運営する施設で過ごしている障害者や、それに寄り添うスタッフの皆さんだ。

そして、活動にあたりレッツが大事にしている考え方をよく示しているのが「表現未満、」という言葉。芸術作品というかたちになっていようがいまいが、人は誰もが日々「表現」をしている。その「表現」を切り取ることにすらこだわらず、とるに足らない癖のようなものも含めて、その人の姿を表している行為――その人がその人らしくいること自体を「表現未満、」として大事にしている。

そしてそんな日々の活動を大事にしながら、その集積や考え方自体を「表現未満、文化祭」といったイベントなどのかたちで社会的に発信する。そこに込められた問いを自分たちだけのものにするのではない、そのあり方自体がアートプロジェクトなのだ。

様々な人が交わり、居場所とできる「たけし文化センター」

レッツは代表の久保田翠さんをはじめとして、障害のある子供を持つ7人の母親により2000年にスタート。「障害があっても普通に子育てがしたい」といった思いがきっかけだったという。

無償で貸してもらった建物を使って好きに絵を描く、音楽家の協力を得て身体や身近なものを使って音楽をするなどの気軽な活動から始まり、アート活動を通して障害のある人など社会的マイノリティの居場所をつくるソーシャルインクルージョン（社会包摂）をテーマに、2004年に法人化した。勉強会や講座の開催、障害のある人のアート活動を支える「トヨタ・エイブルアート・フォーラム2002」［★1］の誘致、商店街の方々と組んでシャッターに絵を描く活動、特別支援学校と普通の学校にアーティストを派遣する交流学習も手がけるようになる。

一方で、活動が注目を集めてテレビや新聞で大きく取り上げられたり、アート活動自体に興味を持つ人が集まるようになってくると、日常生活が人目にさらされ、おびやかされるような感覚を得て、レッツの活動から離れてしまう人もいたと言う。活動の充実を図るため講座を増やすと、重度の知的障害がある久保田さんの息子である壮（たけし）くんが参加できる活動が少なくなってしまうなどの課題も生まれた。

ひとくちに障害といっても、その内容は様々だ。健常者と比較して身体を動かすことや意思疎通を図ることが少し苦手なだけ、という程度の方もいる。壮くんは、目についた紙を手当たり次第手に取り破いてしまったり、人が持っているものを取り上げて投げてしまったり、自らの便をこね散らかして遊ぼうとしてしまうなど、それを受け入れがたい人にとっての「迷惑行為」を連発する。

だから日本では、障害の程度により福祉施設が設けられ、障害のある当事者はそこで生活を営むこととなる。しかし本人や親にとって、そのあり方が幸せだとは限らない。このような問いが、そもそもレッツの出発点だ。

そこで「様々な人が交わり、居場所にできる」という久保田さんが構想したコンセプトの元、2008年に実験的に17日間行ったのが「たけし文化センター(以下、たけぶん)」だ。当時スタッフとして関わっていたアーティスト・深澤孝史さんと鈴木一郎太さんがこだわって実現させたのが、壮くんを基準とした場づくり。空き店舗を期間限定で活用して、訪れた方がそこで思い思いの時間を過ごすことができる小さな「文化センター」として開

たけし文化センター2008

放したのだ。障害福祉施設のグッズを販売するショップ、カフェ、イベントスペースがフリースペースと共存。多動な壮くんを排除しない。許容することを前提とした場として運営し、壮くんはほぼ毎日滞在、来場した方々とコミュニケーションをとったり、一緒にイベントへ参加したりした。

続いて２００９〜２０１０年にかけて５ヶ月間取り組んだ「たけし文化センターBUNSENDO」で、カフェ機能を提供するカウンターは、壮くんの手が届かない２メートルぐらいの高さにする、料金は利用者に決めてもらう、訪れた方がイベントの企画を持ち込みやすくするなど、設えや仕組みを工夫した。同じ空間に、子供をあやしている人、会議をしている人、何か音を出している人などが共存するが、それをお互いに許容する。壮くんを基準とした設えやルールで運用することで、場の寛容度があがる。多様な人々の居場所を提供し、絵画展・上映会・ライブ・朗読会・飲み会など、「ここで何かやってみたい」と思う方々による、25の持ち込み企画、新しい活動が生まれるきっかけをつくった。

２０１３年までたけぶんに携わっていた、先述の鈴木さんはこう語る。

「壮くんはやりたいことがはっきりしている。生活をスムーズに送るということを軸にせず、そこにちゃんと向き合えるかどうかが大事だった。よく言う、みんなのためというのは難しい。最初からいろんな人が乗れるような船を用意するのではなくて、まず一人のために始める。それが他の

人が乗れる船になっていく作り方があってもいい」（鈴木さん）

たけぶんはその後も、場所を変えながら継続。2010年にレッツが障害福祉サービス事業所「アルス・ノヴァ」をはじめてからも、場のあり方の指針となっている。

レッツの劇的な日常とそれを支える人

2010年、ついにレッツは障害福祉サービス事業所「アルス・ノヴァ（以下、アルス）」を浜松の郊外・入野町にオープンする。障害のある人の日々の生活を支える自立訓練（生活訓練）、特別支援学校へ通う子供等が放課後を過ごす場を提供する児童デイサービスを

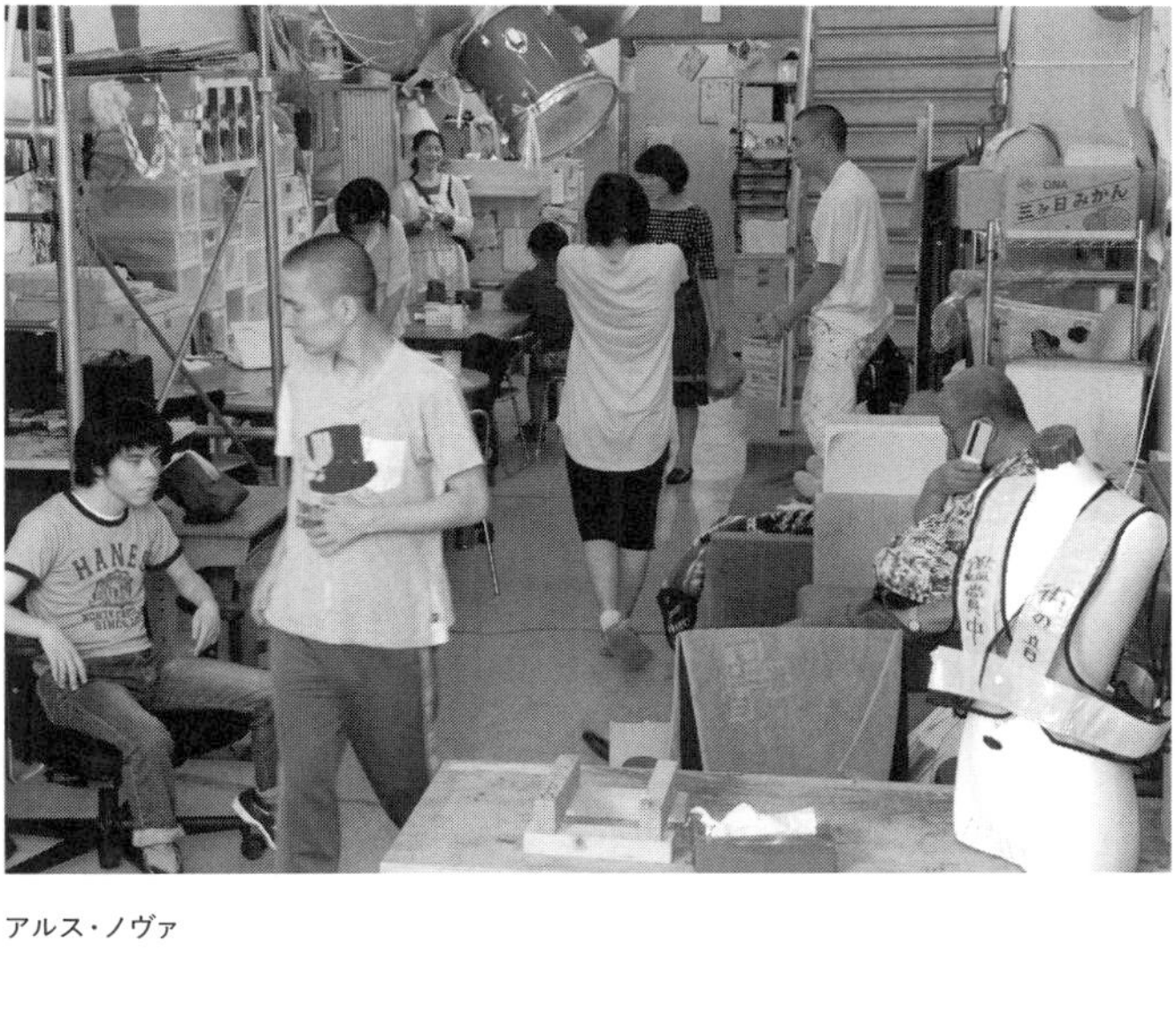

アルス・ノヴァ

7名のスタッフで始めた。2012年からは重い障害のある人も受け入れることができる生活介護事業にも取り組み、2013年に「就労移行支援」、2015年に「就労継続支援B型事業」もスタート。利用者の活動を仕事として成立させるため、アルスの日常をYouTubeで配信すること自体を仕事化するなどの取り組みも行い、事業所が拠点となり、経営の柱となりながら文化事業へも積極的に取り組む今のレッツのベースが出来あがる。

しかしそれは、障害福祉で稼ぎながら、文化事業に投資をするというCSR的な思想・手法ではない。日々の営みそのものをたけぶんのように、そこを必要とする障害のある利用者のありのままの居場所としながら、社会に開く試みだ。

よって、福祉施設でよくあるように、ある時間から切り絵をつくりましょう、散歩に出かけましょう、といったメニューはない。スタッフが利用者と相談をしながら、そこでの過ごし方を決める。例えばその日、化粧に興味を持った利用者がいたら、「それではやってみよう」となる。他の利用者やスタッフがそれを面白がる。そしてなぜか、まわりにいたみんなで化粧をしはじめる。また電化製品が大好きな利用者が、出かける時に台車があれば何でも持ち歩けることに気づき、ラジカセに始まり冷蔵庫まで、ガムテープや紐で縛って持ち歩くようになった。それをスタッフは止めないどころか手伝う。それが「オガ台車」として注目を集めることになったり、「オガ部屋」とでも言うべき空間が施設の裏にできていたりと、いまではアルス・ノヴァの風景の一つとして溶け込んでいる。施設の各所では、そうやって利用者やスタッフの方が遊ぶようにして過ごした日々の痕跡や、つくりあげた作品が飾られている様を見ることができる。

このあり方は、たけぶんで大事にしていた「壮くんを基準とした場づくり」の考え方を応用していると言える。当然、経営的には効率が悪いし、これに馴染む人、馴染まない人がいる。久保田さんはこう語る。

「他の施設に合わなかった強烈な個性を持つ人たち。親も色んなところで叱られて、どこにも受け入れられない状態だった人たちが利用者としてやってくるんです」（久保田さん）

これらのプロジェクトを支えるスタッフの皆さんも個性的だ。強烈な個性を持つ利用者に日々寄り添い、時には何かを一緒に楽しむ共犯者となりながら、劇的な日常を共に過ごす。

２００９年から勤めている夏目はるなさん

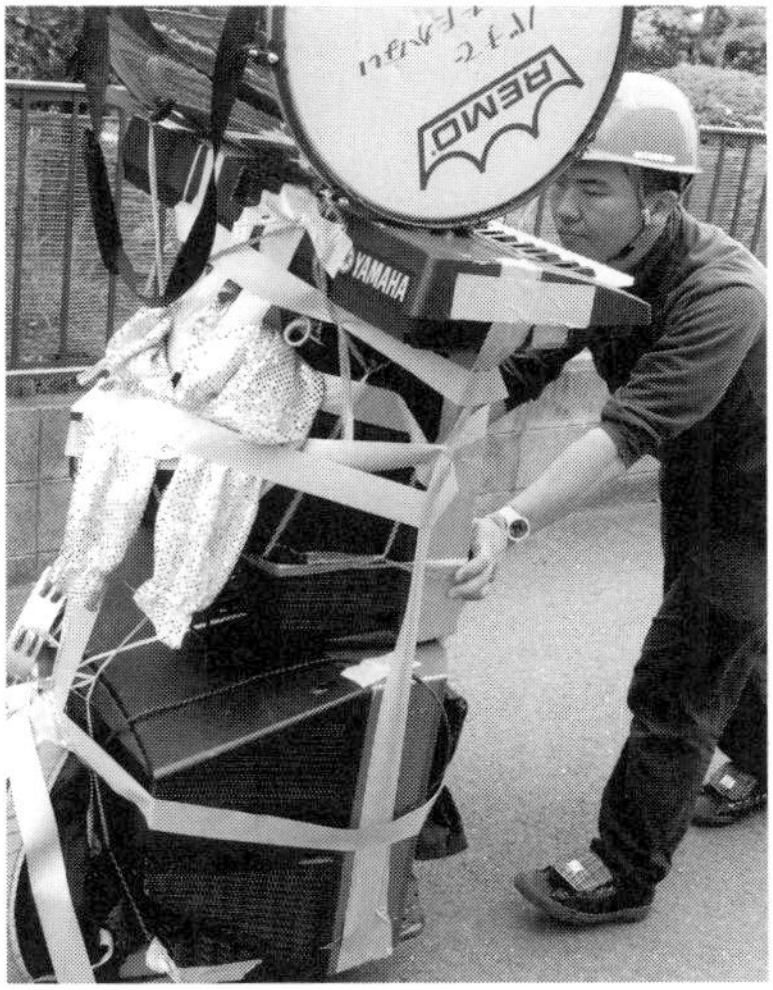

オガ台車

は、親が教育に携わる仕事をやっていた背景がある。夏目さんはこう語る。

「いわゆる教育・福祉の現場って、施設の目指す方向にみんなが一律に向かってしまうのが疑問だった。そういう意味でレッツは、いろんな人がいて楽しい」（夏目さん）

一方、レッツに勤めるスタッフの傾向について、久保田さんはこう語る。

「福祉の勉強をした人はレッツに合わないんですよ。自分が学んできたこととの違いに疑問を持ってモヤモヤしてしまう。勉強をせずに、面白そうだとやってきた人が、見よう見まねでやっている、というのが現状ですね」（久保田さん）

活動を編み直し、社会へ問いかける

アルスでは日々、利用者やスタッフの手による新たな出来事が起こっていて、日常それ自体が小さなプロジェクトの集積だとも言える。しかしその豊かな日常を過ごすことだけでは満足せず、積極的に発表の機会を設け、成果と課題を共有し、社会的に「なぜこのような活動をしているのか？」を問いかけ続けているのがレッツの活動の特徴だ。

スタッフが日常から見出した利用者の面白いこと、例えば「穴の空いた軍手」「絵具で固められた引き出し」などそれだけでは何だかわからないものをストーリーつきで見せる展覧会「佐藤は見た！！！！！」を中心市街地の空き店舗で行ってみたり、YouTube「のヴぁてれび」で日々の様子を発信してみたりした。

対象を利用者に限らず、オーディション形式で演奏者を募り開催した「雑多な音楽の祭典『スタタ☆ン！！』」では、弾き語り、車中歌の中継、どじょう踊りまで計22組が参加。5時間に渡ってプレゼンテーションと審査員による講評が行われた。レッツの音楽室で利用者やスタッフが日々夢中ではまっている遊びを拡張し、お披露目しながらそれぞれの面白さをひもとくイベントとなった。

２０１９年からレッツに勤めているスタッ

佐藤は見た!!!!!

フの高木蕗子さんは語る。
「レッツではスタッフの私たち自身が、自分らしさに気づくことができます。例えばアルスにある音楽室で、利用者と一緒になって騒ぎながらピアノを弾くのが楽しい。小さい頃は〝演奏会〟を目標にひたすら練習をしていた気がするけど、ここでは自分たちのための〝音楽〟をやっている気がしていて、とてもクリエイティブな気持ちになって楽しくなるんです」（高木さん）
アーツカウンシル東京らが主催するアートプロジェクト「TURNフェス」［★2］にはアーティストの中崎透さんとレッツがコラボレーションするというかたちで参加。用意された予算だけでなく、自らの財源も活用しながら、利用者17人、スタッフ・ボランティア19人と総出で押しかけて、言わばレッツの日常をそのまま東京都美術館内に持ち込んだ展覧会となった。
日々の運営だけでも大変であろうが、積極的に日常を外へ開く取り組みを続ける理由を久保田さんはこう話す。
「日常を自分たちで楽しんでいるだけでは社会は変わらない。障害者が健常者と同じように生活できる環境が当たり前にはならないので、その問題意識をどう外に投げかけるかを活動の大切な軸としています」（久保田さん）
NPOとして、アルスを運営しながら利用者やスタッフが豊かな日常を過ごす場をつくるだけで満足せず、世の中には障害のある人が中心になることもできる多様な場のあり方が必要だと課題を問いかけ、それを解決すべく活動に取り組む矜持をうかがい知ることができる。

まちなかへのアプローチ

私が特に感銘を受けたのは、2019年に訪れた「表現未満、文化祭」だ。浜松駅から徒歩10分の中心市街地に新しく建設され、前年よりアルスの新しい拠点となった「たけし文化センター連尺町」を3日間開く試みで、利用者の日々の活動に出会える展示やイベント、アルスの運営についてスタッフが話し合う月一定例の会議「しえんかいぎ」の公開、

表現未満、文化祭

「親亡き後をぶっ壊せ！」「文化×福祉×街づくり」などゲストを招いて切実なテーマを話し合うシンポジウムなどが行われた。

利用者だけでなく、スタッフもそれぞれの「表現未満、」をプログラム化していて、例えば先述の高木さんは飲み物を用意して「スナックありじごく」を開催。いつかはスマートにお客さんの相手をするスナックのママを夢見ながらも、準備はバタバタで、客よりも自分が話してしまう。むしろ隣に居合わせた方の方が聞き上手なママに見えてくる。でも、それが彼女のありのままの姿だろうし、いいのではないか。そんな気にさせられ、自分も背伸びせずその場にいればいい、という気持ちにさせられるひと時だった。

外部の人間がなかなか目撃することのできない「表現未満、」を体験することができたことはもちろん、近所の方、利用者の家族や知人から、福祉や表現のあり方について高い意識を持っている方まで、実に多様な人々が建物を出入りし思い思いの時間を過ごす様を目撃することができた。それは正に、「様々な人が交わり、居場所とできる」というたけぶん設立時のコンセプトの実現であり、ある意味、「地域に開かれた文化祭」だった。

「世の中には多様な人々がいます。そして様々な価値があります。良い、悪いといった単純な二項対立ではなく、お互いがお互いのことを尊重しながら、新しい価値観が生まれ、ともに生きる社会を皆で楽しみながら考えていく。それが、「表現未満、」プロジェクトの願いです」（パンフレットより）

そもそも、人出が多い中心市街地の施設で「表現未満、文化祭」のようなイベントが行われること自体が驚きだ。「障害福祉施設は郊外に置かれることが多いため、なるべく人がいる場所で活動をしたいという思いがあった」と久保田さんが語るように、障害福祉施設といえば、人気が少ない地域でひっそりと営まれていて、開放する日は内容も設えも行儀よく整えられている、というのが一般的なイメージだろう。

郊外の入野町でアルスを運営していた時代にも、別に建物をかりて利用者以外にも居場所を提供する「のヴぁ公民館」を設けたり、中心市街地で「たけし文化センター INFO LOUNGE」を運営したり、空き店舗で展覧会を行うなどまちと関わる活動、言わば利用者がまちの人々と出会う環境や機会づくりへ取り組んできた。

「レッツに限った話ではなく、地域自体が変なものを受け入れることが難しい時代になってきていると感じています。彼らの存在をまちに、社会に顕在化させることで、人はそれぞれに生き方が

違うという当たり前のことを共有したい。違和感やモヤモヤがあれば、対話したい」（久保田さん）

そのような思いを、新たな拠点となった連尺町を含む17町の自治会長さんも「まちというのは様々な人たちが来るところです。レッツさんがこのたびまちに来てくれた。歓迎しようではありませんか」と快く受け入れてくれたという。これまでのレッツのさまざまな活動が地域に暮らす人に受け入れられた瞬間だ。

問いを深める対話の機会づくり

他にも注目すべき取り組みがある。それが「しえんかいぎ」と呼ばれる活動だ。

通常、福祉施設で行われる問題解決のために答えを出すスタッフ間の定例会議は「支援会議」と呼ばれている。しかし、レッツのスタッフ間で行われる支援会議は漢字ではなくひらがなで「しえんかいぎ」としている。レッツの「しえんかいぎ」では毎月、哲学者やジャーナリストなど外部の識者や人材を招聘し、彼らも交えた対話の中で問いを深め、支援の可能性を広げることにつなげているのだ。

例えば水に濡れることが大好きな利用者との向き合い方をどうするか。自由にさせていると建物も職員も水浸しになってしまう。だからといって、水に触れないようにするという対応は正しいのか。レッツで着替えをたくさん用意しておけば、職員も一緒になってびしょ濡れになれてお互い楽しい、と考えることもできる。そのような斬新なアイデアが生まれる対話の記録は、自ら発行する記録集などにも赤裸々に収録・配布している。

「タイムトラベル100時間ツアー」は、一般の人にアルスとのヴぁ公民館に滞在してもらって、障害のある人がいる時間と空間を体験してもらうプログラムだ。「視察」の延長のようなプログラムで、レッツに関わったことのない人もホームページから申し込むことで気軽に参加することができる。まず、参

タイムトラベル100時間ツアー

加者は簡単なガイダンスと共にアルスの人々と関わるヒントが記された「メンバーカード」を手渡される。その後は、好きなように100時間を過ごす（複数日に渡ってもよい）。そして、毎回の滞在ごとに、気づきを振り返ってもらうことにしている。中には「障害者の見方が変わると思っていたが、それ以上に無意識に抑圧されていた自分の意識が変わった」などの感想をもらったこともあるという。

「かしだしたけし」は、希望する人や場所に、アルスの利用者とスタッフを派遣し（貸し出し）、同じ時間を共に過ごしてもらうプログラムだ。例えばテンギョウ・クラ（教師、コミュニケーター、ストーリーテラー）さんは上野の東京藝大で講師を務める授業に浜松から壮くんを連れていく旅をしてみたそうだ（2017年9月）。すると、授業の合間に上野のまちを歩いた際、アメ横で興奮してすごいスピードで走り出し、お店の陳列を荒らしてしまい、パチンコ屋の椅子では座って動かなくなってしまうなど、次々と「事件」が起こる。テンギョウさんは、この体験を振り返り、「いつも過ごしているまちが、全然違う場所に見えた」と語ったそうだ。

「何が起こったのか」「居合わせた人はそこで何を思ったのか」を様々な形で共有し対話することはとても重要なテーマである。絵画・彫刻作品などの鑑賞においても、複数の鑑賞者がそれぞれの意見や感想を交わし合うことで作品への向き合い方を深める「対話型鑑賞」という手法がある。レッツでも鑑賞体験ならぬ、障害者と共に過ごす体験を提供するだけでなく、その体験について対話を通して考え、深める時間を提供していると言えるだろう。

レッツのスタッフも利用者との向き合い方に答えを持っているわけではなく、日々の体験、出会う人々との対話を通して考え続けているという。

2015年からレッツに勤めている高林洋臣さんは語る。

「僕自身、いろいろな場所でアートを通して様々な地域と関わる仕事をしていました。でも、同じ場所で継続的に働き、生活について考え続けることができる場を求めていました。レッツには偏った社会の価値観から自由になれる雰囲気があると思います」(高林さん)

アートプロジェクトとしてのレッツ

レッツの取り組みは果たしてアートプロジェクトなのかという声をしばしば聞く。アーティストの存在あってこそ、他にはない独自の表現や体験に出会えるアートプロジェクトが成立する、という視点に立てば違うとも言えるだろうし、独特の表現をやり切る利用者のことをアーティストと考える向きもある。

取材を重ねて私が改めて思うのが、レッツはアートを目的にしているのではなく、常に新しいアプローチで社会に関わりながら、問いを投げかけること自体をアート的な活動ととらえて、活動を続けているということだ。だからそこにアーティストの力が生きていることもあれば、そうでない取り組みもある。そして何か新しいアプローチを発明しても、それをやり続けることにこだわらず、さらなる問いを立てたり、実験を試みるなど、常に変化を続ける。そのあり方が、とてもアート的だ（多くのアーティストは、新しい挑戦や作品が評価されてもそのあり方に安住せず、さらに別の試みに挑戦する）。

久保田さんはこう語る。

「障害のある人をアーティストだとは言っていません。だから表現ではなく、表現未満、という言い方をしている。むしろ、彼らの役割がアート的なのではないか。問題提起をして、よくわからない既成概念をぶち壊すところがアートと相性が良いのだと思います」（久保田さん）

初期に関わっていた深澤孝史さんはアーティストとして、鈴木一郎太さんはアートディレクターとしてその後も各地で活躍。現在のレッツのスタッフにも、東京・大阪・群馬・金沢・札幌など過去に別の地域でアートプロジェクトを運営するスタッフを経験した方が多く勤めている。既成概念にとらわれない活動に向き合う経験がレッツで生きるということであれば、久保田さんの発言にも納得がいく。

「アーティストがいたらもっとダイナミックな活動にもできるかもしれません。でも、今ではこれまでの経験を生かすこともできるし、スタッフの層も厚くなり自分たちだけでできることも多い。アーティスティックな気持ちを持ちながらスタッフをしている人が多いので、頼もしいですね」（久保田さん）

日々の現場に向き合いつつも、そこでの出来事を社会とつなぐ存在でもあるスタッフの役割がここではとても重要だ。

2019年にアルスに定期滞在していたローカルアクティヴィストの小松理虔さんは、障害福祉施設の利用者などをさす「当事者」という言葉になぞらえて、「共事者」としての彼らスタッフのあり方に注目している（『ただ、そこにいるひとたち』2020、現代書館より）。当事者と非当事者、当事者を支援する人という関係では生み出すことのできない、共事者という存在が、新しい関わりしろや思考の余白をつくり出すことができるのではないか、という考え方だ。健常者、障害者、アーティスト、そうでない人、そういった概念にとらわれることのない柔軟な考え方が世の中に浸透するといい。

2017年、久保田さんは「表現未満、実験室」ほかの成果を評価され、「芸術選奨文部科学大臣新人賞」を受賞した。レッツの事業の核は障害福祉だが、そのあり方の本質がアート的であることが社会的に認められた出来事だと言える。

アートプロジェクトがもつ特徴のひとつとして、それはアーティストのみの手により実現されるものではなく、誰もが持つ創造力が相互に刺激し合い引き出され、思いもよらない風景がそこに立ち上がる、ということがあると思う。レッツで言えば、アーティストと障害のある利用者、あるいは利用者とスタッフ。偶然そこに居合わせた人など…。どのような組み合わせでもそれは起こりうるだろう。しかしそれを社会に開いていくということに意義がある。

なぜそれをやるのか？　アートである必然性はどこにあるのか？　社会と関わるプロジェクトを担う人々にとって、レッツの活動には実に学びが多い。

★1　トヨタ自動車とＮＰＯ法人エイブル・アート・ジャパンが、各地で福祉やアート、教育など多様な立場の人たちからなる実行委員会を組織して行ったフォーラム。１９９６〜２００７年の7年間で34地域、計63回を実施した。全国に障害のある人のアート活動「エイブル・アート」ムーブメントのきっかけをつくった。

★2　東京２０２０オリンピック・パラリンピックの文化プログラムを先導するプロジェクト「TURN」に関わる活動や、人々が一同に介する展覧会型のイベント。障害の有無、世代、性、国籍、住環境などの背景や習慣の違いを超えた多様な人々の出会いを楽しみ、深め、共有することを目指して２０１６年から毎年実施されている。

04

釜ヶ崎で表現と社会をつなぐ、ココルームの実践

はがみちこ

ココルーム

2003年、新世界フェスティバルゲートで活動スタート。「表現と社会と仕事と自律」をテーマに喫茶店のふりをしながら、さまざまな出会いと問いを重ねる。08年釜ヶ崎の動物園前商店街に拠点を移す。12年からまちを大学にみたてた「釜ヶ崎芸術大学」を運営。16年、同商店街の南に移転し「ゲストハウスとカフェと庭 ココルーム」を開く。

ココルームに学ぶこと

多様な人々が共生できる社会を実現するとは、どういうことだろう。些細な実践が、気の遠くなるほど積み重ねられるうちに、カメの歩みで少しずつ近づけるようなものかもしれない。迂回や逡

巡、ときには後戻り、思いもよらぬ飛躍――予期ができず、単純な計画には乗せられない、そうした姿勢が得意なアートによって、どんな実践を紡ぐことができるだろうか?

社会的に孤立しているとみなされがちな存在、とりわけホームレスの人々など、社会の周縁にいる人たちとアートをつなぐココルームの18年にもわたる取り組みからは、多くの発想と視座を受け取ることができる。ココルーム設立のきっかけとなったのは、代表である詩人の上田假奈代さんが2001年に発表した「詩人として仕事をつくる」という「詩業家宣言」だ。その宣言の意味するところは「社会に参加し、表現という軸を手放さずに自身を開き、他者と関わり合いながら人生を深くしていくような仕事」[★1]は可能だろうか、という自らと社会に対する鋭い問いかけだった。

上田さんが「喫茶店のふり」と呼ぶココルームは、この問いが一つの組織として形になったものである。長年のその挑戦の主な舞台となっているのは労働者の街、大阪・釜ヶ崎。元日雇労働者のホームレスの人々が多く暮らす日本三大ドヤ(簡易宿泊所)街のひとつだ。

表現を仕事にする場づくり

上田さんは最初、2003年に浪速区、釜ヶ崎にほどちかいJR新今宮駅の近くの「フェスティバルゲート」[★2]という商業娯楽施設の空き店舗を活用した、大阪市の「新世界アーツパーク事業」(現代芸術拠点形成事業)に参画した。その文化事業の受託のため、立ち上げたNPO法人が「こえとことばとこころの部屋cocoroom(ココルーム)」である。同拠点で活動していた他の3団体は、「DANCE BOX」(コンテンポラリー・ダンス)、「ビヨンドイノセンス」(現代音楽)、「記録と表現とメディアのための組織[remo]」(メディア・アート)と、いずれも2000年代の関西アートシーンの各ジャンルをリードしていくことになったアートNPO。上田さん率いるココルームもまた、現代文学というジャンルの担い手として、抜擢された。

その条件は行政が負担するのは水道光熱費と家賃のみ、事業運営費はそれぞれの団体で賄うというわゆる「公設民営」事業だったが、上田さんにとっては「詩業家宣言」の実践にうってつけの機会が到来した格好だ。ミュージシャンや俳優、画家などの若い表現者たちに声をかけて、2ヶ月で準備をして喫茶店をオープンさせた。「こえとことばとこころの部屋」と名付けたとおり、喫茶店のふりをしながら、詩のワークショップや朗読イベントを開催したり、フリーペーパー「ぽえ犬通信」を発行したりと、言葉を主とした表現と仕事をつなげる実践の拠点とした。

若手表現者たちの仕事をつくる、つまり、それは就労支援の取り組みでもある。

「私たちは最初の1年間の活動で、既に若者たちが仕事に困っているということがわかっちゃったの。社会で問題視される前に、そういう若い人たちの仕事や人間関係にまつわる悩みを聞いて、トークイベントを組んだり、若者支援団体の人達とつながったりしたんですね」（上田さん）

喫茶店として場を開くことで、そこに珈琲や食事を求めて集まる様々な利用客たちからの刺激によって、様々な表現や仕事が生まれる。ココルームは実質的にここから始まったと言っていいだろう。

そのうち、釜ヶ崎に入ってホームレスの日雇い労働者の支援活動をする人たちもまたココルームの喫茶を利用するようになったので、活動のレジュメをもらったりして、そこがどういう街であるか教えてもらうように

フェスティバルゲート時代のココルーム。手作りの舞台と35席ほどの客席とカフェスペース。

なったのはごく自然な流れだった。

「高度経済成長の下支えしてきた人達の土地だということ、自分自身が育った1970年代にその人たちが雇用の調整弁として集められ、そして今は仕事がなくなって、路上で暮らしているということを知りました」（上田さん）

街で見かけるホームレスの人たちに関心を寄せ、表現を通じて彼らに関わることができる方法を探していたところ、ホームレス経験のある人たちの紙芝居のグループ（のちに「むすび」というグループ名となる）からの相談が持ち込まれる。

「それがきっかけで、ホームレスの方の表現活動の機会をつくるマネージメントをすることになったんです。もしそれが彼らの仕事になれば一番いいなって、思いついちゃったの。舞台にあがって、何かを表現してもらうことで、社会と彼らをつなぎ直すことができるんじゃないかって」（上田さん）

そう考え、ホームレスの詩人やピアニストに協力してもらって紙芝居の舞台公演をコーディネートした。ホームレスの人たちに向きあう時も、表現と仕事（社会）を結ぶという一貫した姿勢に変わりはなかった。

2007年末に、当初は10年の計画だった契約が途中で終了して、フェスティバルゲートを退去することになったとき、そうした関わりが後押しして、次なる拠点として選んだのがまさに釜ヶ崎だった。釜ヶ崎にはアート系の団体がなかったことも理由のひとつだ。商店街の中の小さな元スナックを、インフォショップカフェ「ココルーム」としてオープンさせたのは２００８年1月のこと。この年、リーマンショックが起き、釜ヶ崎でも16年ぶりの暴動が起こった。「日本全体が釜ヶ崎化していく」実感を持ちながら、お節介や相互扶助の精神が根付く釜ヶ崎の人々の暮らしに学ぶものを得たという。とはいえ、釜ヶ崎は「怖いところ」として嫌厭されがちであったため、２００９年にはカフェの向かいの物件を「カマン!メディアセンター」という釜ヶ崎の情報発信のためのプロジェクト拠点に。畳とちゃぶ台の移動式ブースで、街の人を巻き込みながらイ

釜ヶ崎・動物園前二番街に移ったココルーム（2008年）

ンターネットラジオを収録する「カマン!ラジオ」や、フェスティバルゲート時代のスタッフでもあったアーティストのアサダワタルさんがYouTubeを使って懐かしの動画を見ながらおしゃべりをする「カマンTV」など、外部アーティストをレジデンスに迎えたりしながら、井戸端コミュニケーションを誘発するプロジェクトを仕掛けていった。

店頭でのバザーやアーティストたちのプロジェクトなどを通じ、商店街の一角をふたつの店舗で挟むことで、そこを往来する釜ヶ崎のおじさんたちと交流が生まれていく。なんらかの事情で釜ヶ崎に集まってきたおじさん達との関わりはもちろん一筋縄ではいかないが、「毎日が人生劇場」と上田さんが笑うように、喜怒哀楽のドラマに満ちた非常に濃い日々が過ぎていった。

まちを大学にする

ふと気がつくと、商店街の「音」が変わっていた。

「あんなに威勢のよかった足音が、ゆっくりゆっくりになり、歩行器の軋む音になり……、もうここまで来てくれへんわと思った」(上田さん)

釜ヶ崎のおじさんたちの高齢化だ。来てくれないならこちらから出向こうと、釜ヶ崎のおじさんたちが集まるあいりん労働福祉センター（日雇い労働者向けの職業斡旋をおこなう寄場や福祉の窓口などがある）のすぐそばで、２０１１年に「まちでつながる」事業として月に一度のワークショップを９ヶ月おこなった。これが、ある一人のアルコール依存に悩む男性の禁酒の助けになった。「酒をやめるのは薬やない。人生の楽しみでやめるんや」、彼がそう話してくれたことで、独り身で高齢者となったこの街の元日雇い労働者のおじさんたちの、酒を飲むぐらいしかない孤独な日常を痛感したという。

　街を大学に見立てる「釜ヶ崎芸術大学（通称：釜芸）」の構想はそうした経緯から生まれることになる。おじさんたちの生活にリズ

ココルームの向かいのカマン！メディアセンター（2009年）

ムをつくり、また、外部の人との出会いを促せるようにと若いスタッフが企画した。2012年秋冬に期間限定で、ココルームだけではなく、釜ヶ崎の施設の談話室、炊き出しの会場など、街の中のいろいろな場所を借りて講座のシリーズを組んで開講した。講師陣には、思い切って超一流の先生方に声をかけた。釈徹宗さん（宗教学）、西川勝さん（哲学）、尾久土正巳さん（天文学）、野村誠さん（音楽）、森村泰昌さん（芸術）といった豪華ぶりだ。

「本当に素晴らしい先生たちにきてもらって、でも釜のおじさん達が、そんな先生にもバンバン質問したり自論を展開したりするのが、すっごくおかしくて。そうい

あいりん労働福祉センターそばの会場での、ダンスのワークショップの様子

うのを喜んでくれる先生もいて、ライフワークにしてくれている方もいるくらい」(上田さん)

そうした手応えから、2013年以降は通年開講として、書道や合作俳句、詩のワークショップなどを加え、年間で約80〜100本くらいの講座を組むようになっている。地域の会場を借り協力を得る中で、他の施設や団体からの信頼を得て、連携関係を築けるようにもなった。西成区の65歳以上の単身生活保護受給者を対象とした〝社会的つながりづくり事業〟「ひと花センター」の表現プログラムを担当することにもなり、そこでは約90本の講座企画を受け持つため、釜芸と合わせると年間200本

釜ヶ崎・三角公園の夏祭りで発表する釜芸。
東京のホームレスダンスチーム・ソケリッサとのワークショップの発表。(2018年)

近い講座を現在もマネージメントしている。

他所から来た自分たちが「釜ヶ崎」の名前を冠することには迷いもあった。行政の定める「あいりん地区」という名称だけではなく、にぎわいや観光がメインとなる「新今宮」という新しい地域の名称が推進されていくことを感じるようになった。「街は変わるもの」と受けとめているが、街の歴史がばっさり上書きされてしまうことには危機感があり、この街を継いでいこうと腹を括ったという。「釜ヶ崎」と「芸術大学」の意外な組み合わせは、対外的な理解を得やすくもあった。2014年には、釜芸でも講師を担当した森村泰昌さんがアーティスティック・ディレクターを務めたヨコハマトリエンナーレに「釜ヶ崎芸術大学」として出展したことで、ココルームの活動を「偽善的だ」と見ていたアート関係者からの見られ方も変わってきたと言う。

実は、上田さんにはこのヨコハマトリエンナーレの参加に不安があったそうだ。ココルームを信じて作ってきてくれたおじさんたちの表現が、芸術祭の中で評価の対象になってしまうという点だ。「誰が面白くないって言ったって、私は面白いの!」、その結論が出るまで考え抜き、やっと参加を決めた。生半可に見せてもダメだ、そう思い、ただのガラクタやゴミにしか見えないかもしれないものでも、とにかく全てを持っていく方針で、〝ココルームを移築するぐらいの勢い〟の物量を展示することにした。クラウドファンディングで資金調達をおこない、約30人のおじさんたちと、スタッフ・釜ヶ崎の支援者たち20人を連れて横浜に行き、美術館の前でテントを立てて炊き出しカフェもおこなった。「釜ヶ崎の生きる知恵と技術を伝えたい」というその熱気は、日本のアート界へたしかに大きなインパクトを与えるものとなった。芸術祭や美術館などへの出展は、その後も台湾・鳳甲羅美術館（2013）、高雄・駁二藝術特區（2015）、アーツ前橋「表現の森」展（2016）、静岡・大岡信ことば館（2016）や花巻・るんびにぃ美術館（2018）での特別展などに続き、2020年にも「さいたま国際芸術祭」に参加した。

釜芸の講座は、釜ヶ崎のおじさんだけを対象としているわけではなく、地域の外の人に

ヨコハマトリエンナーレでの炊き出しカフェの様子。2日で1100食を振舞った。（2014年）

も開かれている。釜ヶ崎を遠い存在と思っている若い人たちに向けて、釜ヶ崎という場所を伝える講座もある。２００８年から毎月おこなう「夜回り」もまた、釜芸の講座の一部にした。ホームレス支援団体がおこなう夜回りとは、おむすびなどの食糧を配りながら安否確認をしたり、襲撃のパトロールをしたりする支援だ。ココルームの夜回りは、ホームレスの人と話したことがないような人に向けて「いちどココルームと一緒に配ってみませんか」と誘うもので、「実際に自分たちが作ったおむすびを渡すときの自分の気持ちの揺れとか、驚いた気持ちとか、戻ってきてから話しあうことを大切にしてる」（上田さん）という。

「渡したときに『ありがとう』だったり『いや、いらん』だったり、『他の人にやってくれ』だの、『もっとくれ』だのいろいろ言われてみたり」（上田さん）

おむすびと一緒に、ホームレスの方に渡す手紙も書く。一方的に支援するということではなく、自分がどうするのかが問われてしまうプログラムである。どの講座も、教える／支援する側と、教えられる／支援される側という役割を固定化せず、共同制作など双方向の学びあいが生じるように設計されているのだ。

おじさんに先生になってもらうという釜芸きっての野望が達成できたのは、２０１８年のからくり人形のゼミと、２０１９年にクラウドファンディングにも挑戦した井戸掘りの講座だ。過酷な工事現場で働いてきたおじさんたちなので、土木作業とは「ザ・釜ヶ崎」である。「井戸を掘る＝おじさんが先生になる、というのはどうだ！」と、ペシャワール会［★3］の中村哲さんの井戸づくりに参加した友人・蓮岡修さんの話を聞いて、上田さんは思いつき、その直感は見事にあたった。

「現場で教えてくれる知恵に対して、参加者みんなが尊敬の眼差しでおじさん達を見つめるんです。こどもの人たちから先生って呼ばれて。作業のできない雨の日、蓮岡さんから、おじさんたちの仕事の話をしてくださいよと差し向けられたとき、これまで聞いていたよりも、もっと微に入り細に入り話してくれたんです。井戸掘りを通して生まれた関係

上田假奈代さん、ココルームの庭にて。（撮影：村上康文）

が、彼らの口を滑らかにしてくれたんですね」(上田さん)
その後も、ダンボールハウスづくりなど、釜ヶ崎で人生をまっとうしていくおじさんたちの、残りの時間の中で彼らの生きた証を伝えていく「釜ヶ崎の生きる知恵と技シリーズ」を継続している。

社会実装としてのゲストハウス

釜ヶ崎芸術大学に着目していると順調に見えるココルームの展開だが、母体となる喫茶店の経営は、街の変化を被って悪化していった。高齢化が更に進み、釜芸の参加者のおじさんたちも一人、また一人と亡くなっていく。インバウンドが急増する2013年頃からは、中国資本が空き店舗でゲストハウスやカラオケ居酒屋のビジネスを展開するようになり、さらにお客さんが減った。十数年続けてきた、場を開く手段として喫茶店の「ふりをする」社会実験は、組織として失敗してしまったのではないか。上田さんは自分の中で総括をして、宿泊業に舵を切る。2016年、商店街の中で場所を移転して「ゲストハウスとカフェと庭 ココルーム」として新しくオープンしたのだ。

2003年に公共事業としてスタートし、行政の後ろ盾を失い自走せざるをえなくなってからも、年度ごとに各種の助成金や寄附金、他の施設や大学との連携も得ながら、不安定さを抱えつつ雇用を継続して運営してきた。時勢を読みながら積極的に社会の経済循環へコミットし、このような「仕事のふり」の社会実装を強化してみようという狙いである。ゲストハウスになってからも、表現と出会いの場を開くというパブリックなミッションには変わりはなく、1階をカフェとして開き、2〜3階をゲストハウスにした。客室には一部屋ごとに釜ヶ崎で生み出された絵や詩を展示し、中には森村泰昌さんや谷川俊太郎さんの作品の部屋もある。カフェの奥には、持ち寄られた植物でみどり豊かな庭があり、カメがいたり、近所のおじさんが自分のミニ農園の世話にきたりと、公園のような憩いの場となっている。２０１９年の

「ゲストハウスとカフェと庭 ココルーム」の一部屋。森村泰昌さんと釜ヶ崎のおじさんの作品に埋めつくされている。宿泊者は夢日記を書く。

釜芸の講座で井戸掘りをおこなったのもこの庭でのことだ。

観光客やYouTuberが急に街に増えて、釜ヶ崎が消費されている感じも気がかりだった。釜ヶ崎をよく知らなかった人、一人でも多くに、メディアやSNSを介してではなく生のおじさんたちと出会ってほしかった。ゲストハウスはそうした装置として、外国の人の宿泊や、学生やフィールドワーカーの受け入れにもつなげられた。外国人旅行客と釜ヶ崎のおじさんたちの取り合わせは、おじさんたちのおもてなし精神が発揮されることで、仲良くなってあたたかな交流が生まれるケースも多かったという。

ゲストハウスの経営により、スタッフの顔

井戸のあるココルームの庭

ぶれにも変化があった。これまではアートマネージメントを専門とするスタッフが多かったが、清掃やベッドメイクの仕事には釜ヶ崎の人を雇用することができるようになった。40年で140以上の仕事をしてきたカンダさん（井戸掘りの先生でもある）は、3年以上ひとつの仕事を続けたことはなかったが「あちこちで学んできたことをここなら活かせそうだ」と、ココルームの仕事は長く続けたいと話した。けれど、カンダさんは2020年に失踪。釜ヶ崎とつきあうのは孤独とのつきあいだと、上田さんは感じている。

ココルームに集う人々

ココルームでは、日常もワークショップのようだ。ゲストハウスになって、営業も朝から夜まで、一日中ずっと、である。界隈に住むおじさんをはじめ、様々な人が出入りするが、時には大声をあげたりスタッフに絡んだりするような、ちょっと〝しんどい〟人がやってくることもある。誰にでも開かれている場なのでそんな人が来た時でも排除したくない、かといって他のお客さんやスタッフ自身が我慢をするのもココルームらしくない。持ち込まれる予期せぬものごとにどうやって対応し、どれくらいの匙加減でその場をファシリテートするか、スタッフは常に試されるのだ。

釜芸の講座で講師たちが、決められた場所と時間の区切りの中で、参加者たちの表現を受け止め形にするのを手助けする手つきは、スタッフたちの刺激にもなる。いつものあの頑固おじさんが、この先生の講座ではこんなに素直になるのか、と驚くのだという。非日常である釜芸のこうした講座にスタッフも参加して、日常の場の運営にフィードバックすることができる。日常と非日常がうまく循環しているようだ。

日常のファシリテーションでは、どんな局面でも創意工夫を発揮する余地がある。それは例えば、毎日の料理であってもそう。4年間カフェ担当をつとめ、皆の「まかないごはん」を毎日朝から作り続けた山口諒子さんは、講座運営などに奔走する他のスタッフの健康を気づかって、「元気が出るようなごはん」を心がけた。見た目を鮮やかにし、味付けもジャンルにはまることなく、口にした時に「え!?」と驚きを感じてもらえるように、大胆な創作料理に取り組んだ。材料は、畑をやっているおじさんから届く季節の野菜や、フードバンク[★4]から届く食材を用いて、即興でメニューを決める。「夏だったらしじしとう、なすび、ゴーヤとかがどさっと大量に袋で届くから、それを使い切ろうと楽しみながらやっていましたね」と振り返る諒子さん。場の運営のサステイナビリティは、こうした日常のベースを守る役割のスタッフたちによって支えられている。

スタッフとお客さんが一緒に食事を囲む「まかないごはん」は、ココルーム名物のひとつ。設立当初から18年間継続してきた。「昼も夜も人とごはんを食べ続ける人生」だという上田さんは、ココルームにとって「まかないごはん」が持つ意味には3つのポイントがあると話してくれた。1つめは、「スタッフたちが死なないように」。アートマネジメントの仕事をしている人は、自分の生活を後回しにしがちだ。まかないごはんで皆と食べれば、ちゃんと規則正しく食べることができるので、自身のコンディションを整える意味でも一緒に食べてもらう。2つめは、「お客さんとのおしゃべりの中で、困りごとや関心ごとを聞くこと」。社会の声にならない声を聞く、ある意味では事業のアイディアをもらえる場でもある。3つめは、「大皿料理を取り箸で分けて

毎日、昼・夜、みんなで大皿料理を囲むまかないご飯。スタッフたちがお酒を飲むことはない。

食べるから、フードロスを防げる」。外食では食べ残しは捨てられるが、この食べ方なら次の食事にまわせるという。これらのことからわかるように、ココルームの活動は「まかないごはん」を通じた人々の声の収集、日常のリズムの安定という基盤に支えられてきた。

２０２０年、新型コロナウイルス感染症が拡大して対策を考える際には、この「まかないごはん」の継続について、スタッフや常連のお客さんらで話しあい、その意義を再確認した。ココルームがなぜこの取り組みをしているか、文章で発信し、食べるかどうかの判断をお客さんに委ねた上で、同じスタイルで続けていくことを決めたという。

長年の運営では、多くのスタッフが入れ替わってきた。たまたま流れつき、また流れて行った人、お客さんとのトラブルに耐えられずにやめてしまった人もいるが、ココルームで磨かれたファシリテーションのスキルを活かし、自分の持ち場で実践を続けている人もいる。商店街の街頭でメディアを駆使した参加型プロジェクトをおこなったアサダワタルさんは、こうした実践を発展させて今は足立区のまちづくり事業に携わり、「千住タウンレーベル」という活動を行っている。釜ヶ崎芸術大学を企画した植田裕子さんは、結婚を機にお寺をベースに地域とつながる場づくりを手掛けているそうだ。カフェの客の話をとことん聞いてきた諒子さんは「路上で、この人大丈夫かなと気になったら声をかけるようになって、おせっかいが身についた。自分のまわりだけでも治安を守っていけたらいいな」と笑う。ココルームの態度は、羽ばたいて行った一人ひとりのスタッフたちによって、少しずつ社会の中に広がっていっている。

釜芸運営の人手不足を、最近はお客さんたちがサポートしてくれるようにもなった。「かまぷ〜（釜ヶ崎アーツマネジメントプロフェッショナル）」というチームだ。「かまぷ〜」の人たちは、講座の企画やチラシの作成、配布、当日の進行などを、手伝ってくれる頼もしい存在である。「釜芸がなくなったら困る」と言って運営側にまわってくれたのだ。ココルームと釜芸に通底する、誰もがそこにいていい、自分を表現していいという場の雰囲気は、スタッフやボランティア、そこに集う人々の、小さな思いやりの積み重ねによってつくられている。「かまぷ〜」の一人・江藤まちこさんは、どうして自分はココルームに行きたくなるのか、その理由を考えてみたとき、こうした「標準装備の場」が秘訣だと気付いたという。上田さんが手がけるインタビュー詩のワークショップ「こころのたねとして」の体験と、ココルームの日常の雰囲気がつながってみえてきたそうだ。

「釜芸では詩でも合作俳句でも、一人でなにかをせず人と関わって作るのが基本で、必ずそこに思いやりが発生する。どんな場でも、自分を100％出していいわけではなくて、人と人との関わりあいがあるなら相手への思いやりがキーになってくると思うんです」（江藤さん）

江藤さんが教えてくれるように、ココルームの場をサードプレイスとして求めている人は、ホームレスの人だけではない。つまりそれは、「○○支援」とカテゴライズされるような社会包摂ではないということである。理由は、表現と社会をつなぎ、出会いの場をつくるという上田さんの最初の目標の延長線上にあるからだ。

「舞台に立つときにマイク1本で表現するわけだけど、それはホームレスであろうと、アーティストであろうと、舞台の上にあがったらもう一緒じゃないですか。その人自身。代わりはないの。人生ってそうよね」（上田さん）

表現という同じ土俵で、ホームレスの人々に向きあう上田さんのその姿勢は、支援する側とされる側という関係ではない。むしろそ

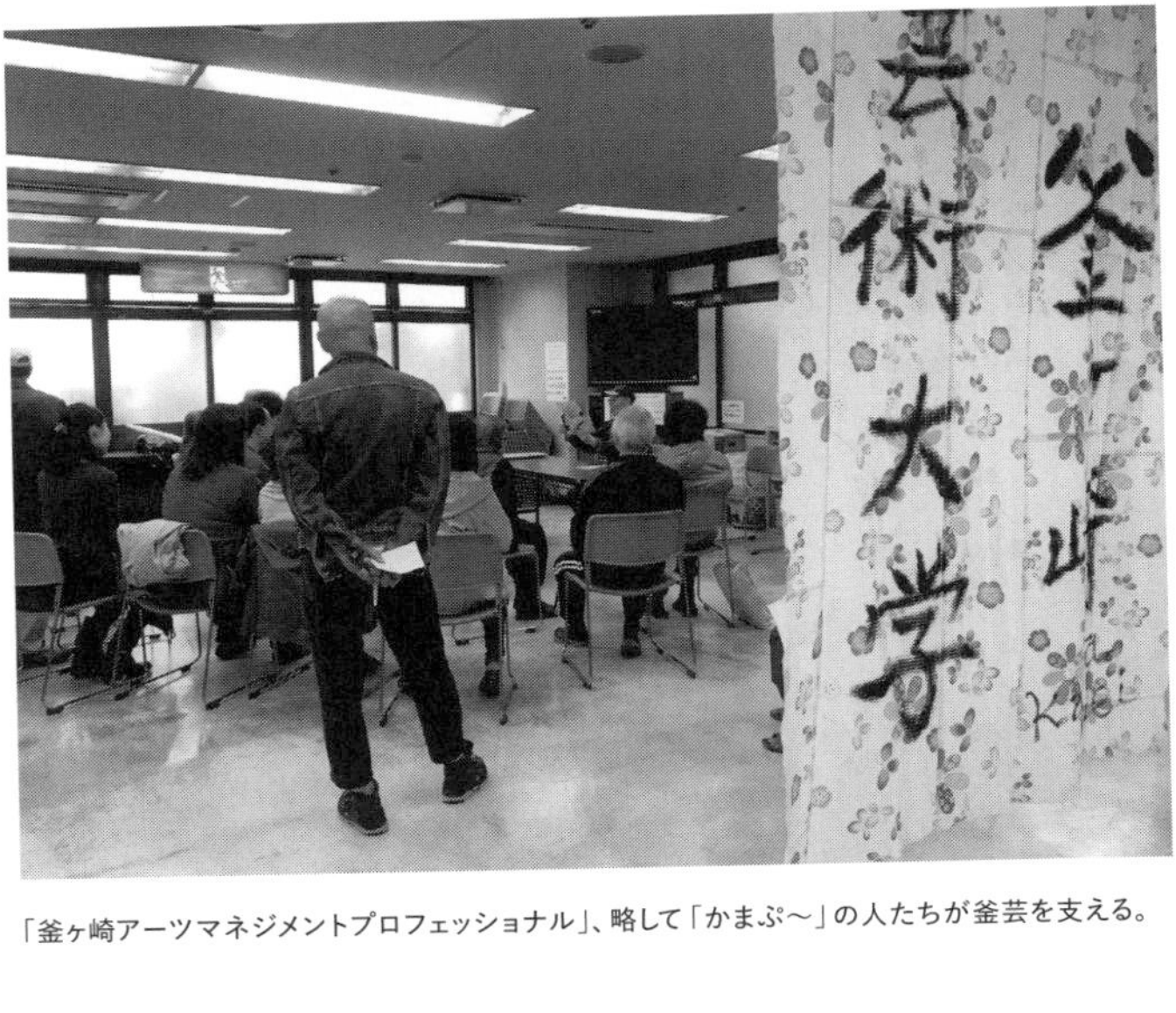

「釜ヶ崎アーツマネジメントプロフェッショナル」、略して「かまぷ〜」の人たちが釜芸を支える。

れは表現者同士の、対等な連帯や互助といった関係であり、そうした連帯の中には釜ヶ崎のおじさんたちも、もちろん含まれているという当たり前のことを教えてくれる。出会うことのなかったもの同士が、表現の場を介して出会い、交換しあい、思いやりあう関係づくりの仕組みを、様々にアレンジしながら実現していることこそが、ココルームの本質だ。

★1 上田假奈代著『釜ヶ崎で表現の場をつくる喫茶店、ココルーム』フィルムアート社、2016、p.60

★2 大阪市の事業として浪速区新世界に1997年にオープンした、観覧車のある都市型遊園地。経営不振のため07年にほぼ営業停止となり、09年アミューズメント企業が入札した。02年施行の十年計画「新世界アーツパーク事業」は07年に中途終了となったが、5年間の活動は大阪の文化芸術インフラの基盤づくりに貢献したとされる。藤浩志、AAFネットワーク著『地域を変えるソフトパワー』青幻舎、2012、p.68参照。

★3 パキスタン・アフガニスタンにおける医療活動支援のための国際NGO。総合的農村復興事業「緑の大地計画」の一環として、昔ながらの工法を用いた井戸の設置による衛生的な水源確保や、水路の復旧など農業支援の取り組みもおこなう。

★4 安全に食べられる品質であるにも関わらず何らかの理由で廃棄される食品を、必要としている施設や団体、困窮世帯に無償で提供し、食品ロスを防ぎながら社会貢献をおこなう活動や、その仕組みのこと。

05

なぜ、文化芸術で地方創生できるのか？
――ローカルと世界をつなぐ「城崎国際アートセンター」の可能性※

石神夏希

城崎国際アートセンター（ＫＩＡＣ）
豊岡市城崎町の温泉街に位置する、舞台芸術を中心とした芸術活動のための滞在型創作施設、いわゆるアーティスト・イン・レジデンスの拠点。公募で選ばれたアーティストは３日間〜３か月間まで無料で滞在でき、ホール・スタジオ等施設を24時間、自由に使用できる。

――

温泉街のアートセンター

兵庫県豊岡市にある城崎国際アートセンター（通称ＫＩＡＣ）は、アーティスト・イン・レジデンス、つまり芸術家の滞在制作のための施設だ。その大きな特徴はふたつある。ひとつは、アートの中でも舞台芸術に特化した施設であること。もうひとつは関西屈指の温泉街「城崎温泉」に位置することだ。このＫＩＡＣを起点として、豊岡市は文化芸術を通じた地方創生の先進事例として、全国でも類を見ないほどの目覚ましい変化を遂げつつある。

筆者は小劇場演劇と呼ばれるジャンルでの活動を経て、２０１０年代以降は主に劇場の外、公共空間や人々の生活空間を舞台としたアートプロジェクトを展開している。最初から「アートプロジェクトをやろう」と思っていたわけではない。震災と前後して、自分が「いま、どこで、誰と、どのような演劇を立ち上げたいか」と考えたとき、自然と関心が舞台としてのまちへと、劇場の外で出会える人たちへと移っていったという方が正しい。それがこれまで続いてきたのは、街場に交錯するさまざまな力学——歴史や文脈はもちろん、そこで生きる人々の関係性やお金の流れ、政治的な思惑、まちへの思いといったあらゆる人間くさいエネルギーの渦巻く磁場、その中に飛び込み、そこで生きる人々にまみれながら演劇的な場を立ち上げることが面白くてしょうがなくなってしまったからだ。

そのような筆者にとって、ＫＩＡＣでの滞在は自然な成り行きでもあり、刺激的な体験でもあった。特に二度目は海外のカンパニーのコラボレーターとして参加したのだが、滞在創作施設としての恵まれた環境はもちろん、温泉街の若旦那衆、鮮魚店の女将さん、子どもたちなど城崎で暮らすさまざまな人が、リサーチから作品発表まで関わり、楽しんでくれた様子が印象的だった。一日のクリエーションの終わりには外湯へ向かい、滞在アーティストのパスを見せれば受付では「アートさん」と親しみを込めて呼ばれる。この温泉街にとって、アートセンターとはどのような存在なのだろうか？　なぜ、このような場所が豊岡という地方都市でこれだけ受け入れられ、成長を続けているのだろうか？　２０１４年の立ち上げからこれまで、ＫＩＡＣを育て上げてきたキーマンたちに話を聞いた。

KIAC外観

豊岡市の地方創生戦略「大交流」とは

城崎温泉は、志賀直哉の小説『城の崎にて』の舞台ともなった歴史ある温泉街だ。但馬地方最大の一級河川・円山川が日本海へと流れ込む河口にほど近く、夏には花火、オンシーズンの冬ともなれば蟹と温泉を求めて関西一円から多くの観光客が訪れる。徒歩30分圏内ほどにコンパクトにまとまった温泉街には木造・瓦屋根の旅館が軒を連ね、外湯を楽しむ人々の浴衣姿がよく似合う。石造りの太鼓橋に柳が揺れ、カランコロンと下駄の音が響く様はまるで映画の舞台のようだ。

だが伝統ある温泉街も、2000年代には観光客の減少に伴うビジネスモデルの転換を迫られた。かつて多くの温泉街は企業の会議や慰安旅行といった、100人規模の団体客をメインターゲットとして成り立っていた。城崎温泉も例外ではなく、バブル崩壊後には団体客ニーズの減少という危機に直面した。このとき、個人客へのシフトとインバウンド施策を牽引したのが豊岡市役所「大交流課」である。この大交流課長・谷口雄彦さんはこう語る。

「2009年に日本全体の人口が減少に転じました。中貝宗治市長（当時）が〝人口減少の局面で豊岡のような小さな地方都市が元気でいるためには、定住や少子化対策はもちろん必要だが、効果が出るまでに時間がかかる。まずは人・物・コト・情報の交流を促す状態をつくって『大交流』

と呼ぼう〟と、それを人口減少時代の豊岡市の活性化戦略にしようと言い出したんです」（谷口さん）

当時から豊岡市は「歴史や風土に根ざした、豊岡のローカルを突き詰めるまちづくり」を掲げていた。だが、こうした良さを理解してもらうためには一方的な情報発信では十分ではない。観光を「交流」として捉え直す、つまり消費されるだけではなく交流が生まれるような場所にしていこう、というのが「大交流」の考え方である。「関係人口」の先駆けともいえよう。

赤字施設をアーティストにタダで貸そう

こうして城崎温泉は「交流」に重きを置いた個人客やリピーター中心のプロモーション戦略に舵を切った。そもそも城崎温泉に多くある木造3階建ての旅館は部屋数も10〜15部屋程度で、個人客に向いていた。一方、こうした方針転換の過程で役割を失い「お荷物」となってしまった存在がある。１９８３年に城崎町から県への働きかけで建てられ、長年、団体客の受け皿となってきたコンベンションセンター「兵庫県立城崎大会議館」だ。会議場や宴会場に宿泊機能も有した巨大な建物だが、先述の経緯から利用が減っていた。２０１２年には県から市に移譲されたものの、この建物があるだけで１，８００万円の赤字。多少利用率を上げてみたところで１００〜２００万円改善するくらいなもの。使い道に本当に困っており、最悪は建物を壊して駐車場にと考えられていた。そんなとき「劇団とか、若いアーティストにタダで貸せばいいんじゃないか」と言い出したのは、やはり市長だった。

「市長曰く〝アイデアが天から降ってきた〟そうです。無料でもいいから若いアーティストに貸し出すことで、館単体では赤字でも城崎のまちに付加価値が加わって、街全体で利益が出ればいいんじゃないかと」（谷口さん）

一方、KIAC館長（当時）・田口幹也さんはこう語る。

「城崎のシンボルである『蟹・温泉・浴衣』は関西では広く認知されていますが、関東の人は冬になったからといって〝蟹を食べに行こう！〟とは思わない。逆にいえばその時期しか人を呼ぶことができていなかったので、違う人の流れをつくりたかった。そこで大会議館を新しい情報発信の拠点として、それまで来なかったような人たちが来るようにしよう、タダでもいいから使ってもらえたら街全体でこの施設の維持費くらい出せるのではないか、と市長が思いついた。そんなとき、たまたま平田オリザさんが豊岡市に来たのです」（田口さん）

偶然、講演会のため豊岡市を訪れていた劇作家・演出家の平田オリザ氏を、豊岡の市民ホールの指定管理を担うNPO代表で、後に初代KIAC館長となる岩崎孔二氏が城崎大会議館へと連れて行った。そこで平田氏が「相当がんばらないと難しいと思う。城崎のまちとうまく連携すれば可能性があるかもしれないけれど」と正直に伝えた感想を、岩崎氏が市長に「オリザさんが太鼓判を押していました！」と（いくらかポジティブに脚色して）報告したことで、市長の「思いつき」は一気に現実味を帯びることになる。

なぜ、舞台芸術に特化した滞在創作施設だったのか？

翌年、平田氏は豊岡市の城崎温泉アートセンター化構想策定委員会のアドバイザーに就任。準備は急ピッチで進み、２０１４年には城崎国際アートセンターとしてオープンした。だが、なぜ舞台芸術に特化したアーティスト・イン・レジデンス施設だったのか。ＫＩＡＣ芸術監督の平田オリザさんはこう語る。

「２０１２年に劇場法ができて、公共ホールが（完成された作品の買付ではなく）アーティストを招いて作品を一から創作する動きは加速していくだろうと思っていました。でも日本の公共ホールは、レジデンス施設や劇団を持っていない」（平田さん）

例えばフランスから20人のダンスカンパニーが来た場合、東京なら宿泊費が１日あたり１人１万円で合計20万円、2ヶ月いれば1200万円ものお金がかかってしまう。渡航費は「パリ－羽田」と「パリー羽田ー鳥取」で、ほぼ変わらない。一時間の乗り継ぎさえ我慢すれば鳥取経由で豊岡に来ることができて、1200万円が浮く計算になる。

「東京から見ると城崎は遠いけれど、パリから見れば近いわけです。僕は『大きな隙間産業』と言っていますが、当時パフォーミング・アーツ系の滞在創作施設は世界的にも珍しかった。美術は作品がそこに残るという強みがある一方、パフォーミング・アーツの作品は（施設を提供したKIACの名前が）クレジットに入って世界中を回ってくれるので、宣伝にもなる。ヨーロッパでは、どこで創られたかが重視されるのです。実際、KIACもほとんど口コミだけで国内外に知られるようになりました」（平田さん）

21世紀の『城の崎にて』を生み出す

また志賀直哉や泉鏡花をはじめ多くの文人が逗留し、『温泉文学の街』として歴史を重ねてきた城崎ならではの文脈もあった。

「城崎の旅館では三世代くらい遡ると、文人墨客を一、二ヶ月ほど逗留させて、最後に書を一筆書かせて宿代をタダにするというようなことをどこでもやっていたのです。それは現代でいえばアーティスト・イン・レジデンスなんじゃないか?と。そこで目利きのプロデューサーが現代的な価値観でアーティストを選んで、その中からいわば〝21世紀の『城の崎にて』〟が生まれれば、城崎の街は次の100年それで食べていけるんじゃないかと考えました」(平田さん)

実際に2019年度には劇団「Q」の市原佐都子氏が滞在制作で書き上げた『バッコスの信女―ホルスタインの雌』が、演劇界の芥川賞として知られる岸田國士戯曲賞を受賞。近年、文化予算が増えているアジア各国では、KIACに応募して国から助成金をもらって来日する、という流れも生まれつつある。利用したアーティストからの評判も上々だ。

「KIACは〝スタッフとの距離感も、街との距離感もちょうどいい〟と言われることが多い。温泉街の中心から少し離れたところにアートセンターが建っているのがちょうどいい、と。創作に集中しつつ温泉で一息つくことによって、オンとオフの切り替えがしやすいようです」(谷口さん)

「県から市への移譲前は年間20日間しか稼働していなかったと聞いていたので、アートセンターとしては年間100日くらい稼働し、それ以外は貸し館としてやっていく想定でした。無料とはいえ演劇やダンスがもともと盛んな地域ではないし、わざわざ人が来るのか疑問でもあった。ところが蓋を開けてみれば一年目から330日フル稼働でした」(田口さん)

トイレットペーパー論争から
地方創生の拠点へ

順調な滑り出しに見えるＫＩＡＣだが、周囲の期待は高くなかった。それどころか、地域からも議会からも、厳しい批判の目を向けられていた。

「最初は（地域の方たちから）アートセンターに『城崎』という名前をつけて欲しくないと言われていました。市長の趣味だろう、と言われていたんです」（谷口さん）

人件費含め年間５０００万円の予算で運営できているＫＩＡＣは、行政直営の施設としての規模や内容を考えればリーズナブルには

『バッコスの信女―ホルスタインの雌』 © igaki photo studio

見えるものの、年間400億円という豊岡市財政から見れば決して小さな金額ではない。さらに滞在費が無料で電気も水も使い放題のKIACは、アーティストが集まり利用が増えるほど赤字になるという仕組みになっている。そして文化芸術は、その効果を定量的に示すことが難しい。「一体どんな効果があるのか」と議会のたびに紛糾したのも無理はない。今となっては語り草となっている「トイレットペーパー論争」もこうした背景から起こった。

「ある議員が〝せめてトイレットペーパー代くらい滞在するアーティストに負担してもらうべきだ〟と主張したのです。でも市長は〝無料であることに価値がある〟と言い続けました。無料だからこそ、アーティストは豊岡市の心意気を感じて地域により深く関わってくれるのだと。それで説得できたのかは分かりませんが（笑）メディアや口コミによる宣伝効果を挙げて乗り切っていたようです」（谷口さん）

一方、アートセンターの活動もじわじわと地域に浸透しつつあった。一年目に滞在したイギリス在住イタリア系アーティストが翌2015年に創作した市民参加型のダンス作品『CROSSROADS交差点』には、温泉街で働く人など70名もの住民がパフォーマーとして参加。城崎の人々との距離が一気に縮まり、応援してくれる人も増えた。

関係者が口を揃えて「マイナスからのスタート」という一年目を乗り切り、二年目を迎えた

2015年。KIACは早くもターニングポイントを迎える。第二次安倍内閣の政策の一環として、豊岡市は芸術文化による地方創生を目指すことを宣言。その拠点としてKIACを位置づけたのだ。このタイミングで指定管理から市の直営に切り替わり、平田氏が芸術監督に就任すると同時に、田口氏がKIAC新館長に就任した。特に鍵となったのが、平田氏が「僕は田口さんが館長になるなら芸術監督を引き受けてもいいと言った」と話す、田口氏の存在だ。

城崎のまちを変えた「おせっかい」

田口氏は豊岡市日高町出身。東京でメディ

CROSSROADS稽古風景

アの立ち上げや飲食店経営など多様な業界経験を経て、2011年、東日本大震災を機に家族でUターンした。当初は一時期的な帰郷のつもりで神鍋高原に居を構えたが、故郷の潜在的な魅力を再発見すると共にそれが十分にアピールできていないことを実感。そこで「おせっかい。」という名刺をつくり、自主的に地域のPR活動を開始する。折しも志賀直哉来湯から100周年という節目に、温泉街の旦那衆が次々と代替わり。老舗旅館のリニューアルに際して田口氏が国内外で活躍するデザイナーを紹介する等、若旦那衆の良き相談役として信頼を獲得していった。こうした過程で生まれたのが、2013年に始まった出版レーベル「本と温泉」だ。

「当時、城崎は『出湯と文学と歴史の街』という謳い文句にもかかわらず、文学の香りがほとんどしなかった。街に2軒だけある本屋では志賀直哉の本が売っていないし、文芸館の展示も開館以来代わり映えがしない。田口さんや若旦那衆は文学の街をアップデートしよう、次の100年に読まれる『城の崎にて』を生み出そうと考えたんです」（谷口さん）

「本と温泉」では第一弾として、現代的な注釈を添えた『城の崎にて』の復刻版を、外湯めぐりに携帯できる小型サイズで発行。第二弾で作家・万城目学氏が城崎に滞在して執筆した『城崎裁判』は、温泉の中でも読めるようタオル地の装丁に防水加工の紙というこだわりぶり。第三弾では湊かなえ、第四弾ではtupera tuperaを起用し、いずれも城崎温泉にちなんだ書き下ろし新作と、蟹や下駄を模したユニークな装丁が話題となった。このプロジェクトが注目を集めたもうひとつの理由は、これら書籍が城崎温泉でしか購入できない「地産地読」であることだ。「本と温泉」シリーズはこれまでに5万部以上を売り上げ、成功事例として地域の人々に認められると共に、温泉街の人々にデザインの重要性を認識してもらうきっかけともなった。

「最近は客層が変わって、客単価も上がっている。もともと6~7割は関西の人でしたが、関東やインバウンドの旅行者の割合が増えています。取り上げられるメディアも昔なら旅行雑誌だったのが、カルチャー系の雑誌になってきたのです」(谷口さん)

こうした「まちおこしの人」としての実績と信頼を基に、田口氏はKIAC館長に就任。住居も城崎温泉へと移した。また就任にあたり田口氏が条件として提示したのは、当時、生涯学習課の所轄であったKIACを大交流課に変更することだった。

「生涯学習課というのは、市民に対しての文化活動を支援するところ。アートセンターは地域の外に向かって発信するところです。僕は館長兼広報(マーケティング・ディレクター)という肩書きで仕事をすることになり、大交流課の直轄でなければ判断の基準がずれてしまうと思いました」(田口さん)

市内の全小中学校で演劇の授業を実施

こうしてKIACが新体制に移行するのと前後して、城崎小学校では平田氏による演劇のモデル授業が行われた。当初の目的は「アートセンターの存在が地元の理解を得るためのアウトリーチ」(平田さん)に過ぎなかったが、見学に来ていた教育長が「三年間で市内の小中学校全38校で実施できるようにしたい」と相談。一年目は5校のモデル校で平田氏自ら授業をして見せ、二年目には初年度を見学した先生たちの授業を支援、三年目には全校実施を達成した。演劇の授業をこの規模で全校実施している自治体は、全国でも初だという。

「地方創生で重要なのは子育て世代。学校への芸術家のアウトリーチなど教育の充実は、移住者にも関心を持ってもらいやすい」(田口さん)

偶然も含めさまざまな要素が相乗効果を生み、KIACは地方創生の戦略拠点としてのアートセンターとして歩み出した。「文化芸術による地方創生とは何か」を発信するため、応募してきたアーティストの滞在制作を受け入れるだけでなく、自主企画による事業も手掛けるように。地域からの理解や応援が徐々に増えると共に、国内外での知名度も順調に上昇。海外からの応募も一気に20カ国を超えた。そんな追い風の中で「瓢箪から駒」のように出てきた話が「アートと観光に特化した専門職大学の創立」だった。

アートと観光の専門職大学設立へ

2017年、産業界で即戦力になる人材の輩出を目的として、国によって新たに「専門職大学」という制度が設けられた。これは専門学校を学士の取得できる大学にいわば「昇格」させるもので、一般的な大学に比べ認可が下りやすい。もともと豊岡には県立の技術大学校があり、これを活用する形で「ものづくりと観光の専門職大学を設立しよう」と市長が言い出したのだという。

「そんなとき、たまたま市長が幅允孝さん(『本と温泉』を手掛けたブックディレクター)と

コミュニケーション教育の風景

コウノトリ但馬空港からの飛行機で隣同士の席になって、専門職大学の構想を話したそうなんです。すると幅さんから〝観光はもっと広くコミュニケーションと捉えた方がいい〟というアドバイスを受けた。その後また別の便で（平田）オリザさんと隣同士になって〝コミュニケーションなら演劇を取り入れたらどうですか〟と言われた。その結果『文化芸術と観光』というテーマになったのです」（谷口さん）

さらに市長が県知事に相談に行ったところ、知事の方から「今の時代、突き抜けたテーマでないと学生も集まらないので、芸術というテーマを掲げてはどうか」と提案があったという。ならば学長は平田氏の他にいない、

芸術文化観光専門職大学外観

と話はトントン拍子に進み、平田氏は自身の率いる劇団「青年団」ごと東京から移住することに。その拠点として2020年、旧豊岡市商工会館を改修した「江原河畔劇場」もオープンした。

「飛行機の中で〝国立で演劇やダンスの実技が学べる大学はないので、もし本当につくってくれるなら移住しますよ〟と言ってしまったんです。まさか本当にそんなことになると思わなかったので。知事に『どうしても学長になってください』と言われて、そうなるとずっと豊岡にいなければいけないので、劇団も引っ越すことにしました」(平田さん)

人口約8万人の豊岡市に、一学年80名の大学ができることのインパクトは大きい。豊岡

江原河畔劇場外観

市全体で高校生は一学年800人程度。そのうちの8割が進学や就職で県外に出てしまう。つまり残り2割の150人くらい、4年間で600人しか豊岡に残らないのが現状だ。

「豊岡市の面積とほぼ同じ東京23区に置き換えると、一駅に一人しか学生がいない、という密度です。だから若い人同士が出会う機会が少なくて、孤独なんです。それが（大学ができて）4年後には320人の若い人、しかも美大を志すような若者がまちの中心にいることになる。これは豊岡の人たちがここ数十年、経験したことのない状況です」（田口さん）

産官学連携が実現する「深さをもった演劇のまち」

一方、専門職大学では単位の1／3（800時間）は実習科目で取得しなくてはならない。豊岡には実習の場として、観光を学ぶ学生には城崎温泉があり、文化芸術を学ぶ学生のためにはKIACと江原河畔劇場がある。

「でも観光学科とアート学科を分けるのではなくて、両方とも分かる人間、観光と文化をブリッジできる人間を輩出するというのがこの専門職大学の役割。じゃあどこで両方を勉強させるか、と考えて、演劇祭をやることにしたんです」（田口さん）

こうして2019年、「第0回豊岡演劇祭」［★1］が開催された。さらに田口氏らは、この演劇祭を文化事業としてのみならず、地域課題を解決する実験場としても活用することを思いついた。トヨタ・モビリティ基金やKDDIといった民間企業と連携し、演劇祭期間中に超小型電気自動車（コムス）の無料貸出、地域回遊サービスといった「人とモビリティがつながるまち」の実証実験を行うことにしたのだ。

「その結果、まちづくりを中心に据えた演劇祭、地域を変えていく演劇祭というコンセプトも生まれました。さらに大学生の学びの場になれば、産官学が連携した取り組みになる。こうしたあり方を、最近では市長は『深さをもった演劇のまち』といっています」（田口さん）

『街角の恋人～湯けむりサーカス編～』 撮影協力：日高神鍋観光協会

「アートと地域経済の両立というと、アートで儲ける、みたいに思われがちですが、あくまで両立なんです。アートがエンジンとなって集まってきた外貨を、できる限り地方に落とし込んでいく。たまたま豊岡には産業基盤が残っていて、観光も農業も強いので、お金の落とし場所があるのも大きい」（平田さん）

不確実な時代にボトムアップの課題解決は難しい

ＫＩＡＣを起点とした専門職大学創立までの展開は、一人ひとりの登場人物、ひとつひとつのピースが計算され尽くされたようにはまっていて、まるで当初から大きなビジョンを共有していたように見える。だが意外にも「実際には行き当たりばったり」だったという。

「不確実な時代にはボトムアップの積み上げはできない。ファクトベースのやり方は過去のものであって、これからの時代には感性で答えを見つける人がいて、そこからバックキャストしていく。そう考えると、市長が〝アーティストに滞在施設をタダで貸そう〟と思いついた発想の筋が良かったんだろうと思います」（田口さん）

「（アートセンターを続けてこられた理由の）ひとつは市長のリーダーシップがすごく強いからでしょ

うね。これまで様々な分野で取り組みを進めてきていて、あとは、アートの分野しか残っていないから。アーティストやクリエイターが来たくなるような街に変えていかなきゃいけないという意識がある。正解がない中でどうするかと問うたときに、アーティストの物の見方が入ってくることでまちづくりが加速することを期待しているのだと思います」（谷口さん）

アーティストをまちの一員として迎え入れ、彼らの存在や考え方が地域の一部になっていくこと。それが地方都市に深く根ざした価値観という「ものさし」や、暗黙の了解といった「制度」をじわじわと変容させていく。毒のように、薬のように。アートセンターはそうした実効性を持つ「場」として地域に存在すると同時に、豊岡市の目指す、人口規模は小さくても世界の人々から尊敬され、尊重されるまち——「小さな世界都市–Local&GlobalCity–」のあり方を体現・発信する水先案内人でもあるのだ。

アートを通じて地域の「ものさし」を変える

新型コロナウイルスの蔓延によって世界が一変した２０２０年、「大交流」の拠点としてのＫＩＡＣも城崎温泉も苦境に立たされた。一方、豊岡への移住の問合せは大都市での感染拡大状況を受けて増加傾向にあるという。とはいえ全体で見れば日本社会が縮退傾向にあり、地方都市にとって依然として厳しい状況にあることは間違いない。

「地方創生といっても〝人口を増やします〟と簡単にいえる状況ではない。だから豊岡では『人口減少の量的緩和と質的転換』といっています。残った人たちの物事の考え方やありように変化をもたらすことによって、地域を活性化していく。その変化をもたらし得るものとして文化芸術があり、アートセンターはその中核なんです」（谷口さん）

「今やるべきことは、ポストコロナあるいはウィズコロナの「大交流」って何なんだろうか、と突き詰めることだと思う」と語る谷口氏。アートを軸とした豊岡市の「大交流」は今後どこへ向かっていくのか。果たして持続可能性はあるのか。鍵を握るのはやはり「ものさし」――評価指標だ。

「来てくれる人との関係性を強める、もっと豊岡に関わっていただく人を増やす。そのために、ひとつひとつの交流の質を上げていく、効果を測る時に人数だけを追わない。NPS［★2］といって〝豊岡っていいところだよ〟とオススメしたくなるかどうかを測ろうとしています。また100人に1泊してもらうのと、50人に2泊してもらうのは経済効果としては一緒なので、後者を目指す。感染症のリスクも軽減されます」（谷口さん）

まちは人がつくる。人との出会いが人を変える。人が変われば、まちが変わる。当たり前のように聞こえるが、そのような変化の連鎖を生み出し続ける「エンジン」としてのアートセンターは、人口規模や交通アクセス等の事情から多様性が乏しくなりがちな地方でこそ大きな「効き目」を発揮するのかもしれない。

※本原稿は、２０２０年6月に行った取材をもとに執筆しました。

★1 豊岡演劇祭はその後、２０２０年の夏に、コロナ禍にあって第1回を無事成功させることができた。また、２０２１年の3月に、アートセンター館長と芸術監督が交代。舞台芸術プロデューサー、介護福祉士の志賀玲子氏が館長に、『バッコスの信女―ホルスタインの雌』の演出家、市原佐都子氏が芸術監督に就任。新たな体制での城崎国際アートセンターがスタートした格好だ。

★2 Net Promoter Scoreの略で、企業やブランドに対する顧客ロイヤリティ（愛着や信頼）を測る指標のこと。従来の顧客満足度に対し、対象の商品やサービスを家族や友人など他の人にどのくらい薦めたいかを尋ねる。

06

芸術祭から地域の未来を創造するプラットフォームへ
――大分県「BEPPU PROJECT」と「CREATIVE PLATFORM OITA」※

橋爪亜衣子

NPO法人 BEPPU PROJECT
大分県別府市を活動拠点とするアートNPO。2005年4月発足。現代芸術祭の開催や地域性を活かした企画の立案、人材育成、地域情報の発信や商品開発、ハード整備など、さまざまな事業を行い、アートを活用した魅力ある地域づくりに取り組む。

―

連なる山々から穏やかな別府湾へと広がる扇状地に、湯けむりが噴き出す。人口約12万人（2020年）の大分県別府市は全国一の温泉湧出量と泉源数をほこり、とめどなく湧き出る湯や海の幸に魅かれた国内外からの観光客を迎え入れる。戦禍をのがれ昭和の趣を残した駅前のレトロな商店街には、行きかう旅人や留学生［★1］たちの多国籍な風情も相まって独特のカオスな空気が立ち込める。

そんな別府で、2009年に「混浴温泉世界」という名の国際芸術祭が立ち上がった。充分な観光資源に恵まれているとみえるこの地に、なぜ芸術祭による地域活性化が必要だったのだろうか?

はじまりはアーティストのビジョン

芸術祭の開催に先立ち、大分県出身のアーティスト山出淳也さんを中心にアートNPO

別府の湯けむり

BEPPU PROJECTが設立されたのは2005年。
当時海外を拠点に活動していた山出さんは、パリに滞在中の2004年、ネットニュースの記事で別府のまちづくりの取り組みを知る。なかでも地元ガイドや流しの歌うたいが商店街の細い路地を案内する路地裏散策ツアーが特徴的だという。記事に映る生き生きとした人々の写真が印象に残り、気になって市役所に国際電話をかけてみると、担当者は「とにかく一度ツアーに参加して欲しい」という。そのとき、子どものころに度々訪れた別府の光景がフラッシュバックした。親戚たちと別府にあつまり、商店街を歩いたこと。浴衣姿の観光客でごった返し、さまざまな音のあふれるまちの華やかさにドキドキしたこと。ふと、そこにアーティストを招きたいと思いついた。彼らが別府に出会い、生まれた作品をまちなかで見られたらどんなに面白いか。そんな思いにとり憑かれ、別府の街を舞台にした芸術祭の実現を心に決めた。

空き店舗だらけの別府

帰国し、別府に移り住んだ山出さんの目に映ったのは、思い出からはかけ離れた、さびれた商店街であった。

別府への旅行客は70年代をピークに減少し、団体旅行客向けの観光業態から抜け出せないままであった。昭和の時代には人で溢れていた商店街は、山出さんが帰国した2000年代初頭には空き店舗だらけとなっていたのである。

芸術祭の開催を夢見て帰ってきたものの、資金も、展示ができる場所どころか活気のある商店街もない。別府唯一の知人とともにとにかく人に会い、やりたいことを語ったが、アーティストと名乗る人間が突然「芸術祭をやりたい！」と言っても、賛同どころか怪しまれるばかりだ。

一方でそのころの別府は、複数のNPOによるまちづくり活動が盛んになっていた。きっかけの一つは、まちなかの歴史的建造物「竹瓦温泉」の保全運動。耐震強度の問題から出た取り壊し案に地元住民は猛反対し、まち

BEPPU PROJECT

WE CREATE NEW ART SYSTEM
IN THIS LOCAL SITE.

の歴史や建築物の価値を学ぶ勉強会を行った。路地裏散策もその一環で始まったものである。その他にも温泉の蒸気を活用した調理体験など、地域の固有資源の再発見およびそれを生かしたプログラムが生まれていった。

もともと路地裏散策からイメージが膨らんだ芸術祭だ。その実現と、街に観光客を呼び戻すという別府がかかえる課題の解決は不可分だ。さらに、住民が自ら考え実行するNPOというあり方は、山出さんに「自治」とは何かを考えさせた。別府の歴史やまちづくりについても先輩たちから少しずつ学び、まちづくりに興味を持つ学生などを中心に少しずつ仲間を増やして「BEPPU PROJECT」を設立する。

まちの余白を見つめなおす

メンバーは芸術祭の開催を目指して奔走しはじめる。

まずはまちの人にアートにもっと親しんでもらおうと、まちなかで定期的にイベントを行いムーブメントをつくる。制作のノウハウを学ぶためアートNPOが集うフォーラムに参加し、都市計画にもつながるよう別府でシンポジウムも行った。そうした活動をするうち、空き店舗ばかりだと思っていた商店街は、子どもの頃見た空き地のような、多くの余白＝関わりの可能性をもった自由な場所だと気づくようになった。

こうして、他団体とも協働して中心市街地の実態調査を実施。それをもとに、商店街に文化的な活動拠点を点在させることに決まった。調査にあたり学生スタッフが実際に商店街に暮らすようになると、まちの人との距離も縮まっていった。いよいよ2009年、実行委員会を組織して第1回目の「混浴温泉世界」を開催することとなる（準備事業から開催、その後の展開までは、書籍「BEPPU PROJECT 2005–2018」に詳しい）。

準備事業や芸術祭をとおして、アーティ

商店街でのイベント

ストや若い世代が活動するようになり、まちがそれまでにない「使われ方」をしだす。山出さんは語る。

「アーティストの特性の一つにいろいろなところを面白く見つめなおすということがあります。それが、見る人にとってもその場所を再発見することにつながっていったと思います」（山出さん）

準備事業では古い映画館やストリップ劇場での奇妙な公演や、商店街での殴り合いのようなパフォーマンスなど、まちのいたるところでアートイベントが展開された。芸術祭の会期中には、高台の野外温泉でパフォーマンスが、神社の境内で音楽イベントが、かつて海岸沿いだった場所に温泉水を満たしたインスタレーション作品が展示され、戦後まもなく建てられた「清島アパート」には130組を超える若いアーティストが連日訪れ、異様な熱のたまり場となった。

まちの人たちは、ときに訝しがり、クレームを入れ、ときにおもしろがり、彼らをサポートした。芸術祭中に毎日アパートに差し入れに行

清島アパート

くようになった地域住民、山本善之さんは「美術館にあるのは死んだ人の絵や。こいつらは今生きとる、ようわからんけど面白い！」と、芸術祭が終了し「清島アパート」が恒常的な若手アーティストの滞在施設となってからも通いつめている。果てには自分で作品を作るようになり、そこで勝手に個展までひらいている。

もともとは自分が見たい風景を目指して芸術祭をつくりあげてきた山出さんだが、そのプロセスを通じて、観客も含め地域の人や関係するひとたちに気づきが生まれ、変化や行動が起こる可能性に気づく。それによって地域がどう変わっていけるのか。まわりの後押しもあり、継続するイメージのなかった芸術祭を、3回までは実施しようと決めた。

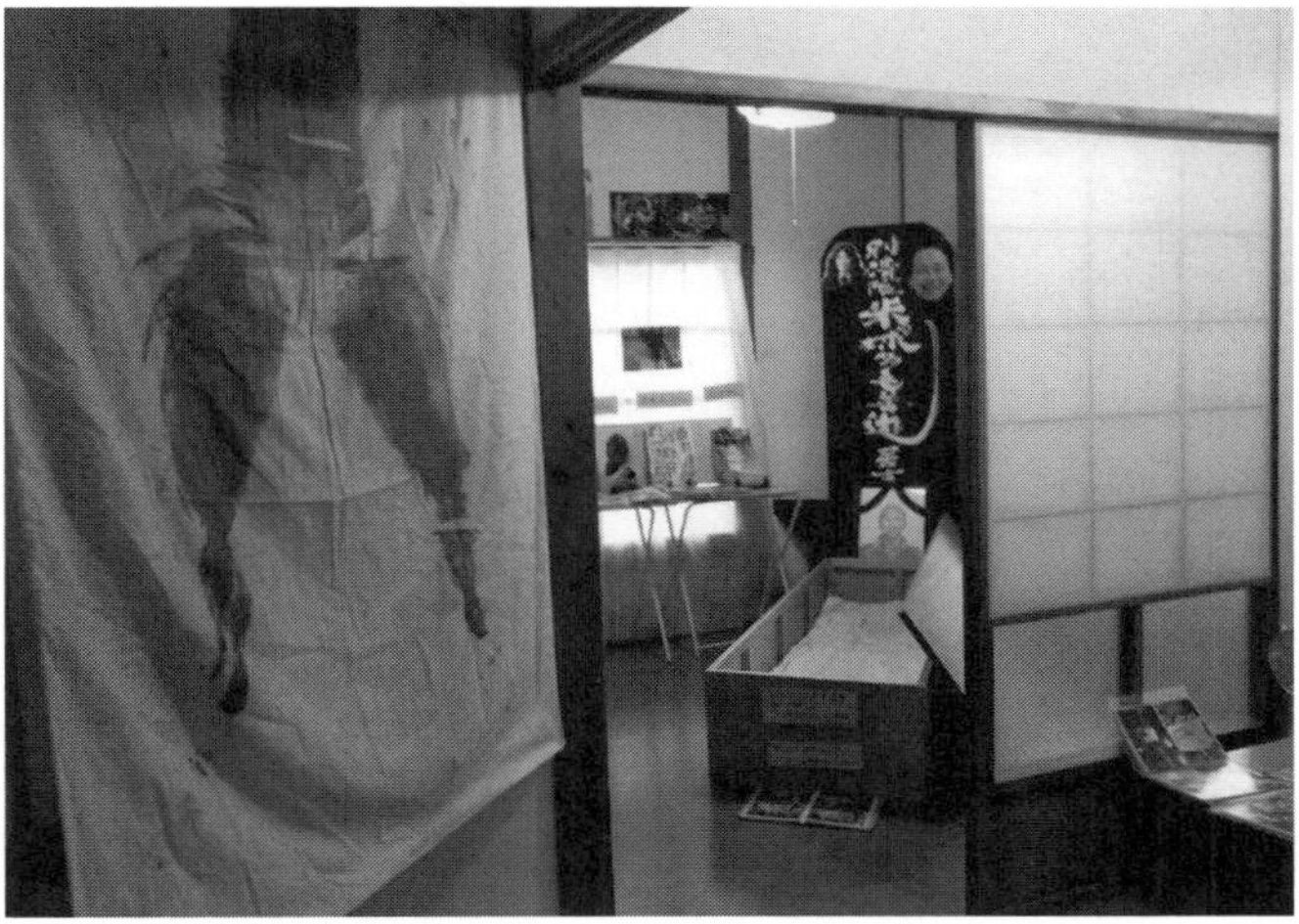

山本さんが独自に行う作品展

価値の転換と創造性

取り組みは、周辺地域にも影響をおよぼしていく。

「時代に即した観光施策やビジネス展開などに課題意識のある人たちが、芸術祭やイベントを見に来たんですよ。見る人によって様々に価値を映し出し、価値観を１８０度変えることさえ起り得る可能性をアートに感じたんですね」（山出さん）

初回芸術祭の翌年、２０１０年に行われたシンポジウムに、その後BEPPU PROJECTのよきパートナーとなっていく二人があらわれる。大分経済同友会（県内の企業経営者による提言団体）のメンバー、尾野文俊さんと三浦宏樹さんだ。

三浦さんは当時日本政策投資銀行に勤めており、高松勤務を経て大分へと異動してきたところであった。登壇者の一人を山出さんに紹介したため、地元企業の社長尾野さんを誘ってシンポジウムに参加していたのである。尾野さんは、当時の状況をこう振り返る。

「ちょうど県が大企業の工場を誘致して、下請けの仕事をやらないかと一生懸命地元企業回りをしているわけです。しかし私達は、大量で安価な生産となる下請けではなく、地元の中小企業でも

主体的に付加価値を生み出せないか、と考えていたところでした」（尾野さん）

まちづくりの方をむけば県都大分市は駅周辺の再開発計画の一方で、中心市街地の魅力や回遊性の低下が危ぶまれていた時期であり、何らかの仕掛けが必要と思われていた。

シンポジウムでは、「創造都市」をキーワードに文化芸術を起爆剤としたいくつかの都市の復興事例が語られていた。尾野さんは「まちに創造性が必要なのは別府だけでない、大分もそうあるべきだ」と確信する。

二人を中心に同友会は創造都市について勉強会を開き、山出さんが行程を組んだヨーロッパ視察も行った。その成果を踏まえ、創造都市を実現するために積極的に大分県に提言を提出した。

三浦さんはその後も様々な研究会に参加し、２０１５年に策定された大分県の長期総合計画の柱に「創造県おおいた」が掲げられることになる。同年はＪＲ大分駅ビルや県立美術館のオープンなど、大分市の風景が一変する年であった。中心市街地に開館した美術館のファサードは水平折戸によって開閉可能な仕掛けが施されており、同友会で提言していた「まちに開かれた美術館」とも、物理的な意味でも呼応することになった。

芸術祭の継続と地域経済

別府で第2回目の芸術祭を準備する頃から、より直接的に地域経済につながる取り組みもはじまった。まちの情報誌「旅手帖beppu」の発行、セレクトショップ「SELECT BEPPU」の立ち上げなどだ。さらに2014年、「国東半島芸術祭」の開催にあわせ「Oita Made」をスタート。芸術祭の来場者に大分らしい土産を提供したいと、大分県全域を巡るなかで出会った生産者と商品開発を行った。それは同時に、地域の潤いにもつながるように設計されている。県外で製造したものが大分で大量に売れるのと、少量でも地元産の主原料を用い、

大分県立美術館©Hiroyuki Hirai

地域の人の手で作られたものが売れるのと、どちらが地域経済に還元されるか。なるべく土地に、しかも外貨が落ちるようこだわった。

芸術祭の開催にあたっては、調査・マーケティングの観点も織り込み事業評価を行った。たとえば2015年の「混浴温泉世界」は要申込・ツアー型の参加体験となったため集客数は減ったが、夕方から開催するプログラムも造成したため1人当たりの宿泊日数が増え、経済効果は増したという。

アートの取組や情報発信の成果として、中高年男性の団体旅行客が主流だった別府に、若い世代や女性、個人旅行客が増えた。加えて、別府は面白いチャレンジができる

Oita Made

まちであるというイメージが定着し、徐々に移住者も増えてきた。2020年現在、アート関係者の人口は別府市の人口の0・1%を占めるほどになった。県内のほかの地域で活動する団体も生まれ始める。

現代アートが地域に与える効果が数字としても見え始め、行政や経済界からもアートの感性を他分野でも活かして課題解決につなげたいという意見が聞こえ始めた。

「相談が来たらまず何でも話は聞きました。アートじゃないからやりませんではなくて、困りごとに対しこれまでにない角度から観察するというアート的な視点、解決のためのデザイン、クリエイティブな視点をもって提案するよう心がけました。それ

みんなのアーツ体験事業

が福祉施設にアーティストを派遣する『みんなのアーツ体験事業』や、地場企業の課題解決を図る『CREATIVE PLATFORM OITA』などにつながっていきます」（山出さん）

BEPPU PROJECTは現在、芸術祭の開催（2016年からは1組のアーティストが地域性を生かしたプロジェクトを行う「in BEPPU」を毎年実施）および市民文化祭「ベップ・アート・マンス」など価値創出型の取り組みに加え、学校や福祉施設へのアーティスト派遣（教育／福祉分野）、後述するCREATIVE PLATFORM OITA（経済分野）など、持ち込まれた「困りごと」に対応する課題解決型の事業まで、幅広く手掛ける。

私は以前、横浜市の公設民営のアートスペースで働いていた。その経験からみて、BEPPU PROJECTがカバーする領域は、横浜市でさまざまな団体が行っていた文化政策事業の範囲を網羅しているように感じた。幅広く文化事業を立ち上げるBEPPU PROJECTのスタンスは、もはやアートという枠組みには収まらないクリエイティブ

『西野 達 in 別府』別府タワー地蔵（2017年）
撮影：脇屋伸光

領域全般を請け負う団体だと言えるだろう。

地域経済の課題解決へ

やがて地場企業が抱える課題解決にクリエイティブの力を活用しようという動きがおこり、同友会の2015年の英国視察を経て、大分県版クリエイティブ産業振興についての検討が始まる。視察したロンドンの「クリエイティブ・ハブ」［★2］にメンバーは深い印象を抱いたが、英国の首都の事例をそのまま大分県に導入できるものではない。また、それはデザイン、メディア等のクリエイティブ産業に属する業種の誘致・育成を中心とした取り組みだった。しかし、大分の場合、新しい企業を誘致したところで、もともとの地場産業、地域の企業はどうなるのだろうか？

「大分でデザインとか業種を指定して誘致・育成したとしても、その地域での仕事がなかなかない。地域の企業、とくに中小企業もクリエイティブへの気づきを得て、取り入れてもらうようにしないと。だから大分県版のクリエイティブ産業では、県内のあらゆる企業がクリエイティブ人材とマッチングすることを目指したんですね」（三浦さん）

CREATIVE PLATFORM OITA

こうして、「クリエイティブ産業の誘致による地域の振興」ではなく、「クリエイティブな手法を用いた地域産業の振興」を目指し、CREATIVE PLATFORM OITAが始動することになる。事業の目的は、「大分県内の中小企業（事業者）が有する技術やノウハウに、クリエイティブな発想や考え方を取り入れることによって、競争力の高い商品・サービスの開発や、新規マーケットの創出に繋げていくこと」（CREATIVE PLATFORM OITAウェブサイトより）。

主な事業は以下の3つだ。

①情報発信
②交流イベントの開催
③クリエイティブ相談室

①は全国のクリエイティブを活用した事例紹介やクリエイター検索機能も有するインタビュー記事、事業レポートなどで構成されるウェブサイト、その他メールマガジンやパンフレット発行など、②はセミナー、トークイベントや事業の報告会などを行う。これらは大分の地場の企業人が「クリエイティブ」への気づきを得るきっかけになる、普及啓発活動のような役割でもある。

なお関連事業として、大分県では別途クリエイターの育成事業「おおいたクリエイティブ実践カレッジ」も行っている。受講生が相談室で活躍するケースもあるようだ。

③の「クリエイティブ相談室」は、簡単にいえば企業とクリエイターのマッチング事業なのだが、ここでユニークなのは、その仕組みだ。事務局に企業から相談がよせられた後、相談員によるヒアリング、提案したクリエイターが打ち合わせのため来県するための交通費と提案費の負担（2回分）、マッチング後の事務局によるフォローアップがパッケージされている。

胆となるのが、相談員によるヒアリングだという。事業開始当初は企業からの依頼に対し、感性の合いそうなクリエイターをすぐ紹介していた。しかし、マッチング後、なかなかコミュニケーションがうまくいかず進行していかない案件もあった。そこで、依頼をすぐ飲み込むのではなく、ヒアリングに時間をかけ、その企業の課題の根本は何なのか、時には経営的なデー

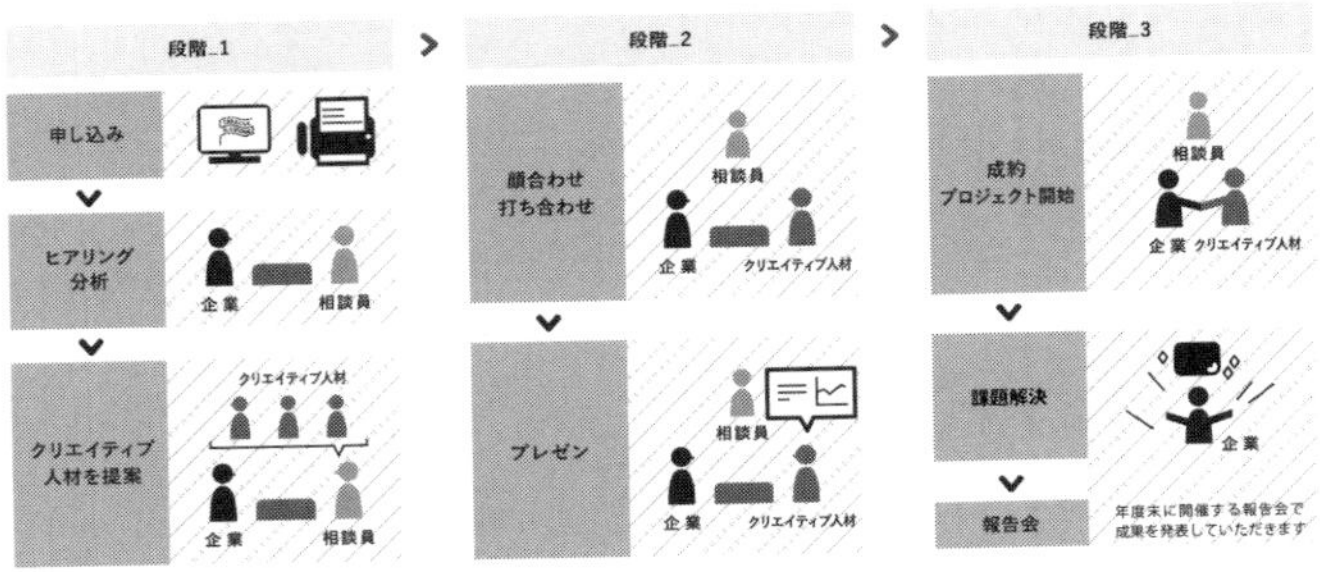

クリエイティブ相談室の仕組み

タも利用し問題点を整理していくようになる。

「このヒアリングは極めて問診に近くて。なんとなく体調が悪いとか、どこが問題なのかっていうことは患者しかわからない。だから聞き出す質問の精度が重要で、わからないことをずっと聞いていきます。これは、場所と対話しようとするようなアーティストの感性と近いなと。感覚的に捉えるだけではなく、その場所をきちんと理解するために調べていく、知ろうとしていく感性、姿勢とすごく近いと思いますね」（山出さん）

その後、この先相談者がどういう方向に行くべきか、今回の事業はそのプロセスでどの段階に位置づけられるのか、その実現に適したクリエイターは誰か、と、マッチングにつなげていく。山出さんは「要するにほぼプロデュースですよね」とまとめる。

マッチング後、クリエイターと実際に事業を動かす段階になると費用補助は一切出ない。企業は必要な事業には必ず投資するし、したからには回収しようとするからだ。

中には、組織の体制自体を変えるほど、相談企業の経営に踏み込んでいく案件も出てきている。相談元は製造業からホテル業、プロサッカーチーム……と幅広いが、具体的な活用事例をいくつか紹介したい。

臼杵（うすき）市の名物「臼杵煎餅」を製造する後藤製菓は、2019年の創業100周年を見据え、

2017年から相談室を利用した。ヒアリングにより購買層の年齢が高いことや他社との差別化が図れていないことが課題として浮かび、県内に住むデザイナー神鳥兼孝さんにブランディングを依頼。新商品開発からデザイン、プロモーションまで寄り添った。新商品の売れ行きは好調で、それに合わせて6名の新規雇用にもつながり、卸先からの好意的なリアクションは社員の意識改革につながった。

BEPPU PROJECTの事業担当者、竹尾真由美さんはこう語る。「商品そのものの魅力はもちろん大切ですが、見た目を素敵にしたら魔法のように売れるわけではありません。クリエイターの力を借りながら、後藤製菓の社員の方々は積極的に営業して、効果をどう最大化できるか一緒に考えたそうです。企業とクリエイターのとてもいい関係性だと思います」(竹尾さん)。

相談室の手を離れた後もさらなる新商品の開発など、意欲的な取組が続いている。

大分市の社会福祉法人 大分県福祉会は、児童養護施設『森の木』内の一部改修にあたり、子どもたちがより過ごしやすい環境を作りたいと相談室を利用した。『森の木』は、家庭の事情や環境上、養護の必要がある児童が入所する施設である。福祉に関わるプロジェクトも手掛け、大阪を拠点に活動するデザイン事務所UMA/design farmのデザイナー原田祐馬さんが協働相手となり、子どもたちが安心して過ごせる、落ち着く空間となるような提案がなされ、家具を自分たちで組み立てるワークショップも行った。職員によると改修後、子どもたちがリビングで過ごす時間が増えたそうである。

大分県福祉会 理事長の有松一郎さんは、「福祉に長く関わっていると、〝福祉とはこういうものだ〟という固定概念から抜け出せなくなってしまう。子どもたち一人一人の幸せを考えるという本来のミッションに立ち返り、クリエイターに関わってもらうことで、新しい視点を取り入れ、福祉の常識や施設の在り方を見直したいと思った」(CREATIVE PLATFORM OITAウェブサイトより)と語っている。現在、原田さんは大分県福祉会の法人全体のブランディングにも関わっていて、相談室終了後も協働は継続している。

後藤製菓『IKUSU ATIO』シリーズ

プロジェクトONICO

相談室の中でもユニークなアウトプットとなった「プロジェクトONICO」の相談元は、先ほどから登場している尾野さんが社長を務める大分市の鬼塚電気工事株式会社だ。

鬼塚電気工事は役所やゼネコンから仕事を請け負うB to Bビジネスを中心に展開してきたが、尾野さんは「今の時代にはそれだけでは困る。エンドユーザーとも関わる事業開発ができないか、しかもそのアイデアが社内から生まれる組織風土を作れないか」と常々考えていた。

相談室は企業認知度を向上させようと、別府市のPR動画『湯～園地』で話題を呼んだ

『森の木』での家具組み立てワークショップ　撮影：藤本幸一郎

クリエイティブディレクター、清川進也さんを紹介した。

社内の若手を中心とした部署横断型チームが作られ、せっかくなら産学官でと大分県立芸術文化短期大学との協働で、プロジェクトが進められることになる。

当初はエンターテイメント性の高い携帯電話の充電装置開発を目指し、ディスカッションが重ねられた。徐々に社員たちには積極性が芽生え、意見交換が活発化していった。また、北海道胆振東部地震の発生が転機となり、プロジェクトは世の中の困りごとを解決する方向にシフトする。そこで災害時にも応用できる、USB電源50ポートを備えた携帯電話の充電ステーション2基をアート作品として制作し、大分市中心市街地の商店街に設置した。「ONICO」とは、このプロジェクトから生まれたキャラクターの名前である。

制作・設置にあたっては100名近い社員の多くが、本業の電気工事技術者として活躍。商店街でのお披露目イベントでは、イベント運営経験のない社員たちが道行く人たちを呼び止め誘導し、利用者とのコミュニケーションが生まれた。

この充電ステーションは、期間限定の設置にもかかわらず商店街の待ち合わせスポットとして定着していき、2年目(2019年)の設置時には、140日間の期間中に7万人の利用があったという。また、これを契機に大分県と災害時の協定も結ぶことにもなった。取材の依頼も絶えず、新卒採用の応募も著しく増えたそうだ。「家族の話題になっている、高校生の娘に褒められた、子どもに初めて仕事についての質問をされた」など、周囲からの反応を得ることが、社員たちのモチベーション向上にも繋がっている。

チームの意見交換は現在も持続しており、持ち運びの容易な充電機器セットが開発された。さらに2020年、「コロナ禍でまちなかは大打撃を受けてますから、手助けになればー」(尾野さん)と、人が集まる充電機能を休止し、検温ステーションを展開した。

全国的な評価も高まっている。芸術文化を通じた豊かな社会創造活動で特に優れたものに与えられるメセナアワード2020の優秀賞も受賞した。これまで大企業による寄付な

充電ステーションONICO

どが多かったメセナ事業において、本業のノウハウを活かし、アートを起点に活動を発展させているとして、ＳＤＧｓ達成にも通ずる先駆事例だと、注目を集めている。

尾野さんは「デザイン思考が必要だといわれていたところにアート思考という言葉も出てきて、それを経営に取り入れるとどうなるのか興味がある」と語るが、思考どころか、クリエイターとの協働でそれを実践、体得している状況ではないだろうか。どうなるのかも、その価値も、実証され始めている。

地域（経済）の未来とアート、クリエイティブ

竹尾さんはCREATIVE PLATFORM OITAの手ごたえについてこう語る。

「経営の根幹部分からクリエイターが関わっていくこともお伝えしていて、この事業を介してそういった関係を築いている中小企業のプロジェクトが年々増えている印象はあります」（竹尾さん）

芸術祭の実行委員会にも加わり、事業評価などでもBEPPU PROJECTに寄り添ってきた三浦さんはこう言う。

「経済波及効果って、事業をやった年限りの話だったりしますよね。しかし、アートやデザイン

を含むクリエイティブな取り組みが地域経済に与える真のインパクトは、それに触れることで地域の人たちが創造的になり、それによって地域経済社会がより豊かになっていくことだと思うんです。地域の産業構造を量的以上に質的に変えていくところに、クリエイティブの力があるんだろうと思います。なかなか短期間では結果が出ないので中長期にしっかり推進する必要がありますね」（三浦さん）

一方で、山出さんにはこんな思いもある。

「この事業で最も重要なのは、地域や社会にとって本当に必要な未来のビジョンを、地元の企業さんと一緒に考え、発信していけることですね」（山出さん）

技術の発達で、地方からでも全世界に直接情報発信できる時代になった。都会で作られた価値を追う過去のモデルに沿う必要はない。地域のオリジナルな資源を活用できる、地方に存在する企業の強みを生かして、自ら価値を作り出して発信していくことが大事だ、と加える。

「NPOを作った当初から、自分の住んでいる地域が面白くなったらいいよねと活動してきました。僕にとってのアートというのは物や作品そのものではないんですね。ひとつの価値観だけで世の中を見ないとか、まだ見ぬ可能性を大切にする態度が重要なんです」（山出さん）

芸術祭からはじまったBEPPU PROJECTは実践・検証・アップデートを繰り返し、現在その活動はクリエイティブ領域にまで広がっている。地域に根差しながら、既存の価値観にとらわれず固有の資源を生かして新たな価値を生み出していく、こんな団体が全国に増えるといい。

※「CREATIVE PLATFORM OITA」については2020年度をもって事業終了。2021年9月現在は大分県のウェブサイトにて実績の一部が閲覧できるほか、引き続きBEPPU PROJECTにて相談受付を行っている。

★1 別府市には2000年、留学生と国内学生を同数迎える立命館アジア太平洋大学が開学した。

★2 デザインや建築、ITなど創造的な職種に分類される複数の企業が入居する、クリエイティブ産業集積施設。日本でいう「コワーキングスペース」にイメージが近い。視察時に東ロンドンで訪れたクリエイティブ・ハブは、イベントスペースやバー機能を有し、入居者や外部との横断的なコミュニケーションを促す設計となっていた。（『アートの創造性が地域をひらく「創造県おおいた」の先進的戦略』より）

07

アーティストの想いを伝えるのは「本気」
──栃木・宇都宮「おじさんの顔が空に浮かぶ日」

中嶋希実

現代アートチーム目［mé］

アーティストの荒神明香、ディレクターの南川憲二、インストーラーの増井宏文を中心とする現代アートチーム。個々の技術や適性を活かすチーム・クリエイションのもと、特定の手法やジャンルにこだわらず展示空間や観客を含めた状況／導線を重視し、果てしなく不確かな現実世界を私たちの実感に引き寄せようとする作品を展開している。

おじさんの顔が空に浮かぶ日

宇都宮美術館で２０１３年にスタートした館外プロジェクト。「空に大きなおじさんの顔が浮かぶ風景を出現させる」ため、現代アートチーム目［mé］が市民とともに浮かべる顔を集め、選び、制作。２０１４年12月、空に浮かんだおじさんの顔を宇都宮の人、そして世界中の人が目撃した。

――

おっちゃんが絶対見に行かなきゃいけないもの

2014年12月、私は取手アートプロジェクト［★1］の事務局長、羽原康恵さんの運転する車に乗って、栃木県宇都宮市に向かっていた。車窓からの景色は、一面に広がる田んぼから住宅街、そして大型チェーン店が並ぶ国道沿いの風景へと変わっていった。

到着したのは日が暮れ始めた夕方。ちょうど帰宅時間と重なったのか、少し道が混み合っている。夜ごはんはやっぱり餃子かな、

おじさんの顔

と思いながら窓の外を眺めていると、低いビルとビルのあいだから、ぽつんと空に浮かぶものが見えた。

「顔だ！おじさんがいた！」

同じ方向を見ていた羽原さんの息子が、それがおじさんの顔だということに気がついた。

「え！どこどこ！」「あ、また隠れちゃった。」「もっと近くに行ってみようよ！」

おじさんの顔が浮かぶ日だとわかって宇都宮にやってきた私たちも、本当に空に浮かんでいるおじさんの顔を見つけたときには、宇宙人でも発見したかのように興奮していた。

「おじさんの顔が空に浮かぶ日」は、おじさんの顔の形をした巨大な立体物が、ある日宇都宮の空に浮かぶというアートプロジェクト。浮かんだのは実在するおじさんの顔で、顔を決める過程では「顔収集隊」「顔あげ隊」として多くの市民が参加し、アーティストと一緒に作品をつくってきた。

宇都宮におじさんの顔を浮かべようと企てたのは、現代アートチーム目［mé］。当時私は、茨城県取手市で20年ほど前から活動する取手アートプロジェクトのスタッフをしており、ある企画で目の荒神明香さん、南川憲二さんと連絡をとっていた。2人から「今度、宇都宮でおじさんの顔を浮かべるんですよ」と聞き、それってどういうこと？と思いながらも、その姿を見るために宇都宮にやってきた。

目はアーティストの荒神明香さん、ディレクターの南川憲二さん、インストーラーの増井宏文さんの3人を中心に活動するチーム。なにをしているのか荒神さんに尋ねると、「この世界の確かまり、というか、確かめる行為を作品にしているみたいな感じで。宇宙上にぽんと丸い地球が浮いているじゃないですか。そこに私たちが立っている。そういう圧倒的な不思議、ということを作品を通して確かめたりするような、生きている自分たちの実感に引き寄せるような活動をしている感じですね」と答えてくれた。

目が宇都宮で活動するきっかけになったのは、宇都宮美術館が初めて取り組む館外プロジェクトに招聘されたこと。当時のことを、目の南川さんはこう話してくれた。

「最初は僕と増井がwah document［★2］の活動でやっていたような市民参加型のワークショップができないかという話をいただいていて。ちょうど荒神が加わって、目として活動し始めた頃だったので、目としてやらせてもらえないか相談したんです」（南川さん）

当時決まっていたのは、館外で、市民とのワークショップを通して作品をつくっていくこと。どんなことができそうか、まずは市内にある空き物件を巡りながらリサーチを始めた。

「物件を見せてもらったあと、所有者であるおじちゃんに『この物件でアート作品をつくったら見にきてくれますか』と聞いたんです。そしたら『まあ正直俺は行かかんな』みたいなこと言ったたんですよ。やるのはいいんだけど、自分が行くかって言ったら行かんって。いろいろな建物を見せてもらったけど、僕も荒神も、その日一番印象に残っていたのがそのおじちゃんの一言だったんです。あのおじちゃんが絶対見に行かなきゃいけないものってなんなんだろうね、みたいなことを話していた帰りの車で、荒神が昔見た夢の話をし始めました」(南川さん)

「私は電車に乗っていて、車窓からは林が見えていて。ぱっと開けたところに、超巨大な顔が浮いていたんです。超巨大な顔の下の方には、その顔を上げている人たちがいるって直感的に思ったんですよ、夢の中で。ただ顔が浮いているだけではなくて、その謎の行動をしている大人たちがたくさんいるということにも妙に感動して。中学校の時の夢だったんですけど、これは絶対覚えておこうと思いました」(荒神さん)

大きな顔が空に浮かんだら、まちにいる誰もが見に行かざるを得ないものになるのでは。アーティストによる、市民向けワークショップを開催して欲しいという美術館からの依頼からは規模も内容も離れてしまうけど、どうしてもやってみたい。ここに住む市民一人ひとりの心に刺さるような企画を提案したいと考えた。心を新たにした2人は、「人生をかけたプレゼンがあります」と美術館の学芸員に連絡して、時間をつくってもらうことになった。

「何度もプレゼンの練習をして向かいました。美術館では学芸員さんやスタッフさん皆さんが待ってくれていました。プレゼンの結果、当時の館長さんや副館長さんがすごくとにかく面白がってくれて。元々の話とは全く違うし、予算もないけれど、『やってみよう』と言ってくださったんです。このプロジェクトを担当されているの学芸員さんの小堀修司さんは、ちょっと混乱させてしまったと思うのですが、とにかくまずやってみることになりました」（南川さん）

本気は伝わる

まずは商店街の空き店舗の一角に「顔収集センター」と名付けた拠点をつくり、空に浮かべる顔を集めるところから活動が始まっ

顔収集センター

た。当初の予定通り、市民参加型のプロジェクトの枠組みにも添い、実現にも不可欠である「一緒に顔を集めていくボランティア」を募る説明会を開催した。

「美術館のみなさんも頑張ってくださって、説明会には30人くらいの人が集まっていました。そこで僕らは、協働しましょう！皆さんと一緒に！みたいな、最初はお決まりのような言葉で企画の目的などを伝えていたんです。そうしたら商店街の理事長さんが手を挙げて『アートとか参加型とかそういったものが、色んな地域でやられていることは私たちも知っているんだ。だけど、正直言って芸術家がこのまちに寝泊まりして活動するんだったら、そういうことより君らの芸術の本気を見せてほしいですよ！』って言われたんです。こんなにもズバッと言ってもらったことで、もう、ものすごいスッキリしました。とにかく顔を集めないといけないので一緒にやってください！って、まっすぐに伝えることができました。結果、参加できる方の数は減りましたけど、5人ほどの方が残って活動を続けてくれました」（南川さん）

そんな「顔収集隊」と名付けたチームに加わってくれた一人が飯田公一さん。もともと出身は関西で、会社の配属をきっかけに栃木県で暮らすようになった。家族が持ってきた顔収集隊募集のチラシを見て、説明会に足を運んだ。

「一体なんなんだか、訳がわからない。行ってみたら普通のラーメン屋さんやブティックが並ぶ商店街に、こつ然と顔収集センターがあって。うさんくさいんだけど、昔の理容店みたいな体裁とか、世界観がちゃんとつくりこまれていて。そこから、目の本気が伝わってきたんです。一緒にやるのも面白そうかなって」（飯田さん）

顔収集隊の面々は、移動スタジオのように改造したリヤカーを引きながら、「顔集めてます」というのぼりを手に宇都宮の町に繰り出した。道ゆく人に声をかけ、素材となる顔の写真を集めていく。最初はコンセプトを話しても理解してもらえず、収集は思っていたほど進まなかった。顔が集まり始めるきっかけになったのは、参加していた人たちの熱意だったそう。

顔収集隊の写真

「顔収集隊のみんなも最初は恥ずかしかったんです。だけど、面白いことなんだって本気で伝える。伝えているうちに自分たちの熱意も上がってくる。そうしているうちに、よくわかんないけどやってみるかって参加してくれる人が増えてきました」（飯田さん）

飯田さんが印象に残っていることのひとつが、「顔あげ隊」として参加したワークショップ。ある場所からアドバールンをあげ、距離や方角などを変えながら、宇都宮の町から顔がどんなふうに見えるのかを確認して回った。

「一緒に活動する人たちと宇都宮市内を巡るなかで、自分が知らなかった宇都宮の魅力みたいな部分が見えてきて。あの作品に関わったことで、人のつながりだけではなくて、土地的な面白さを発見していく感じがあったんです」（飯田さん）

そのワークショップから派生して、顔を見るためのおすすめスポットをまとめた案内図をつくるなど、顔収集隊や顔あげ隊として参加したメンバーによるアイデアがどんどん出てくるようになった。ワークショップを重ねるごとに、参加するメンバーの熱量が上がっていく感覚があったという。

「宇都宮って餃子が有名だったりジャズの町と言われていたりするけれど、普段はそんなに特徴のない普通の町なんですよね。そんな日常の中で、普段とぜんぜん違うことが起こり得るというのがすごく面白そうだと思って参加し続けていました。僕自身はアートがどうというより、仕掛けてい

くことに関わっているのが楽しかったんですよね」(飯田さん)

集まった顔は全部で218人分。あげるのはおじさんの顔だということ以外は、何も決まっていなかった。どの顔を上げるか決める「顔会議」には、それまで顔収集隊として参加してきた10代から80代まで、さまざまな人たちが集まった。最初の説明会のように、わかりやすくコンセプトを説明して、ある程度こちら側で採用することに決めた顔に票が集まるよう誘導し、かたちだけ〝みんな参加している風〟な決め方をすることもできたかもしれない。けれど南川さんたちは大変でも、集まった人たちと一緒に、ゼロから決めていく道を選んだ。アーティストと市民の間にある境界線を自ら取り払い、彼らと同じ目線で話し合おうという姿勢だ。

「これまでやってきたことや、アーティストの僕らが考えてきたことを必死で、お経のようにつらつらと伝えました。退屈で途中で帰る人が出てきてもしょうがないし、失敗してもいいから、嘘をつくことなく、自分たちがいつもアトリエで互いに話している率直な言葉で話してみよう、と思ったんです」(南川さん)

結果、5時間半ものあいだ、休憩なしで顔会議の議論を続けることになった。最初の数時間は、「どうしておばさんじゃなくて、おじさんの顔なんだ」ということを本気で話し合っていたそうだ。そんなとき、その場にいた一人から思いがけない声が上がった。

「ふと『ほったらかされた顔だから、おじさんなんだ』って言葉が出てきて。程よく重力が宿っていて、飾りすぎてもいない。物体としての顔に一番近いんじゃないかって。そのとき、そこにいた全員が『それだ！』ってなったんです。奇跡みたいに全員の感覚が合致した。泣きそうになりましたね。あとはその感覚に沿って選んでいくだけで、全員異論なしの顔を見つけることができました。アーティストが言っている訳わからないことが、本当の意味で共有できた。それは大きな手応えでしたね」（南川さん）

計画どおりにはいかないことと無責任、難しさ

白熱した議論の結果、浮かべる顔が決まったところで最初の1年が終了。当初ワークショップを行うために組んでいた美術館側の予算もここで区切りを迎え、2年目の予定はほぼ立っていなかった。どう実現するかは誰もわかっていなかったけれど、月に一度喫茶店に集まって、空に浮かぶことを想定しながらワークショップを続けていった。

一方で美術館側では予定していなかった企画に対して予算がつかず、目とのあいだで具体的な計画を組むことができずにいた。そのため、参加者の熱量の行き場もなく、ワークショップはいまい

ち盛り上がりに欠ける状況が続いていたんだそう。
「計画が前に進んでないことに後ろめたい気持ちもあって、ワークショップの参加者には伝えていませんでした。そうしたら一人の参加者が『お前らは何か隠してる！』って言い出したんです。居酒屋に何回も連れて行かれて、どうなっているのか本当のことを言えって。そこでようやく、しんどい状況をボロボロと、正直に話しました。そうしたら、みんなが聞きたいのはそういうことだから、他の参加者にもそれを伝えろって言われて。僕は、正直、言い訳のようなことを言うのも嫌だし、迷いもありましたが、少し現状や葛藤を伝えてみることにしました」(南川さん)
次の集まりで、開催に向けて目処が立っていないこと、思ったように進んでいないことなどを正直に話した。するとその話を聞いた約30人のメンバーが、それに反応するように、それぞれ、なぜこの集まりに来ているのかを一人ずつ話し始めることになった。
それまで参加者が自分の話をすることは少なかったけれど、改めて聞いてみると、お互いにさまざまな思いを持って集まっていることがわかってきた。それぞれに大事な土日を返上して、いつもこれだけの人が集まるには、それなりの理由があった。南川さんに「本気を話せ」と言った人は、同僚を事故で亡くしたときにプロジェクトのチラシを見て、呼び寄せられたようにやってきたのだという。

「そんな話し合いがしばらく続いていてたのですが、その最中、たまたまなんですけど、美術館の館長の谷新さんが会議をしている喫茶店の1階で僕らの会議をこっそり聞きにいらしてました。美術館としての方針を決めるために、会議の様子を見に来たタイミングだったみたいで。それで、僕らがやっていたそれぞれの参加理由などの話を聞いて、涙目になって会議室に入ってきて、その勢いで、このプロジェクトは俺のクビをかけてでも実現させるから！って宣言してくれたんです。本当にそこからプロジェクトの歯車が合ってきて具体的に動き出しました」（南川さん）

ぐっと動き出したプロジェクトでもうひとつ、大きな山場となったのは、巨大な顔の立体物をどうつくり、浮かべるのかという技術的な課題。遠くからでもおじさんの顔と認識できる巨大な立体物を空に浮かべるため、目の制作を担う増井さんいわく、日本すべての技術を持っている可能性のある業者と連絡をとってみたものの、できると手を挙げてくれたのは1社のみ。しかし特に顔を印刷するのに膨大な費用がかかるということがわかり、結果、大きな布地に自分たちで黒いスタンプをたくさん押し、手作業で転写をすることで顔を表現することを決めた。目の制作メンバーやボランティアを募りつつ、顔を描く作業には3ヶ月を要した。

制作と平行して、美術館側では市役所や警察に安全面の確認をとったり、地元住民に向けた説明会を実施。さまざまな人の本気が重なって、いよいよ本番当日がやってくる。

巨大立体物の制作風景

おじさんの顔が空に浮かんだ日

12月のつんと冷たい空気のなか、おじさんの顔は空に浮かんだ。夕方に浮き始めた顔は光り、まるでもうひとつの月のように静かに夜空に浮かんでいた。荒神さんによると、そのとき宇都宮の町では、さまざまな反応が繰り広げられていたそうだ。

「私も街のあちこちで見たんですけど、老人ホームからお爺さんお婆さんたちが30人ぐらいバーって出てきて光景を見ていたり、空き地にたくさんの家族が集まっていたり。ちょっとした渋滞みたいなのも起きて交通整備が必要になったり。そうやって町が湧き立つというか、町から人がたくさん湧き出てきて、いろんな反応をしていました」（荒神さん）

浮かぶおじさんを見てお腹を抱えて笑う人、泣き出す子ども、ホコリだらけのカメラを持ち出して手を震わせながら撮影するおばあちゃん。同じ場所に居合わせて、知り合いでもないのに抱き合うおばちゃんたちも目撃されている。

「あちこちで起きている反応も含めて、夢で見たよりも圧倒的に謎の光景でした（笑）。こんな謎な光景と対峙できたのが、私にとって最も心に残りました」（荒神さん）

顔そのものよりも、それを見て驚愕する人、不思議な顔をする人々の表情そのものが何よりも不思議だった。この圧倒的な光景は、荒神さんの目や耳に入ったことのほかにも、きっとたくさんあったはず。人によってさまざまな印象をもったことは想像できるものの、そのありえない光景に対して、クレームは1件だけだったそうだから面白い。

また、おじさんの顔が空に浮かぶ様子は、そこに居合わせた宇都宮の人々だけでなく、メディアやSNSを通じて世界中の人の目に映ることになった。

「現場で遭遇することがベストかと言われると、それはわかりません。テレビでパッとみたときのほうが面白いかもしれないし、誰

顔を見る人々の写真

かの口から聞いたほうがより興味を持つかもしれない。現場とは違う鑑賞の導線があるのもアリかもしれないと、このプロジェクトをやって感じるようになりました。この作品には公と個というテーマがあって。自身が直接ものを見るということと、他者によって見られたということは、まわりまわって同じことなのかもしれないと考えるようになりました」（南川さん）

プロジェクトへの反応は、当日だけにとどまらなかった。美術館側の担当としてずっとプロジェクトに立ち会ってきた学芸員の小堀修司さんは、今でもふとした瞬間に当時のことを思い出すという。

「ずっと宇都宮に住んでいるので、会場の

撮影：Takao Sasanuma

近くに行くと、必ずあの日のことを思い出します。今日みたいな日に浮かんでいたらどうなんだろうとか、あそこを歩いている人はあの日見たのかなとか。いいことも大変だったことも含めて、住み慣れた街に確かな爪痕を残されたような感覚がありますね」（小堀さん）

目がさまざまな地域で行っている活動に関連して、今でも宇都宮美術館にはメディアの問い合わせが入ってくる。ときには海外から問い合わせが入ることもあったという。

「覚えている人は覚えているというか。あの光景がいろいろな人の記憶にある。思っていた以上に続くものなんだと感じています」（小堀さん）

紹介されたメディアの数はわかっても、効果や結果が数字になりにくいのが参加型アートプロジェクトの課題のひとつ。「話題になったとは言え効果測定が難しかった」と話す小堀さん自身は、プロジェクトに関わった人たちのその後の人生に変化があったことをひとつの結果として捉えているそう。

「参加者のなかから、目の制作チームとして働くことになった人がいるんですよ。あとは参加していた高校生が大学生になって、博物館実習でうちの美術館に来てくれたり、目をきっかけに現代美術を見に行くようになったという声も聞きます。個人的には仲間が増えたと言うか、現代アートというよくわからないものに心底のめり込む人が増えたことが、とても嬉しいです」（小堀さん）

顔収集隊、顔あげ隊として活動したメンバーは、今でも連絡をとり合い、ときには集まる関係が続いているそう。美術館、アーティスト、市民という関係を超え、まっすぐに本気でぶつかり合ったからこそできた作品、そして関係があるんだと思う。

このプロジェクトで感じた「伝わる」という体験は、目がその後取り組むプロジェクトで関わる人たちとの関係、そして作品にもつながっていると南川さんは話す。

「とにかく伝わるんだということがわかりました。手法の問題じゃなくて、まずは伝える側の覚悟。アートが特定の地域に関わるとき、そこに迎合する必要はない。しかし同時に、地域との関連や意味は強く求められて良い。僕らの現実は、その間の拮抗の中にあって、どちらも存在している状態をつくりたい。今はそんなことをテーマに、新しいプロジェクトに取り組んでいるところです」（南川さん）

★1 取手アートプロジェクト1999年より市民と取手市、東京藝術大学の3者が共同で行っているアートプロジェクト。現代美術の公募展と地元作家のオープンスタジオを開催していた時期を経て、地域に暮らす人とともに日常的に取り組むプログラムとその活動拠点の運営を続けている。

★2 wah document 南川憲二さん、増井宏文さんが運営する表現活動。校庭に風呂をつくる、人の力で家を持ち上げるなど、一般募集した参加者と出し合ったアイデアや街で集めたアイデアを即興的に実行する集団表現活動。アイデアが「作品」になるゾクゾクする瞬間に共感を生み出すべく活動している。

08

手紙というオールドメディアを活用した「つながり」のアートプロジェクト「水曜日郵便局」※

影山裕樹

水曜日郵便局
「つなぎ美術館」のプロデュースの元、映画監督の遠山昇司らにより2013年に開局した架空の郵便局「赤崎水曜日郵便局」。知らない人が水曜日にまつわる手紙を送ると、他の人が書いた水曜日の手紙が届く仕組み。その後、2017年に「鮫ヶ浦水曜日郵便局」が開局。

アートプロジェクトにおけるメディア活用の事例

近年、さまざまなメディアを活用したアートプロジェクトや演劇作品が増えている。たとえば、高山明率いるPortBによる、スマホを使った演劇作品「東京ヘテロトピア」（2013〜）などがそうだ。インターネットが発達し、さまざまなアプリケーションが制作も利用もたやすくなった時代に、舞台から街中へ、美術館から屋外へ繰り出す際に、そうした多様なメディアを活用することで斬新な鑑賞体験を生み出すことができる。

それらは広義のメディア芸術と呼べるかもしれないが、国内ではテクノロジーを活用したアート作品を「メディアアート」と呼称する場合が多く、広義のメディア芸術に対して、狭義のメディアアートという分類が可能かもしれない。

さて、広い意味でのメディアを活用したアート作品の中には、最新のテクノロジーを使わずに実施されるものがある。「水曜日郵便局」がまさに

そうだ。これは、手紙というオールドメディアを活用したアートプロジェクトである。

熊本県南部のまち、津奈木（つなぎ）町にある「つなぎ美術館」のプロデュースによって2013年に「開局」した赤崎水曜日郵便局は、水曜日だけ開く架空の郵便局だ。ここに「水曜日にまつわる物語」を書いて送ると、知らない人の「水曜日にまつわる物語」が送られてくるというシンプルな仕組みになっている。

全世界どこから誰でも手紙を送ることができるため、遠く離れた人と人が不思議な共犯関係を共有することができるこのユニークなアートプロジェクトは、メディアでも多数紹介され、2017年は宮城県東松島市にて「鮫ケ浦水曜日郵便局」も開局。二つの水曜日郵便局

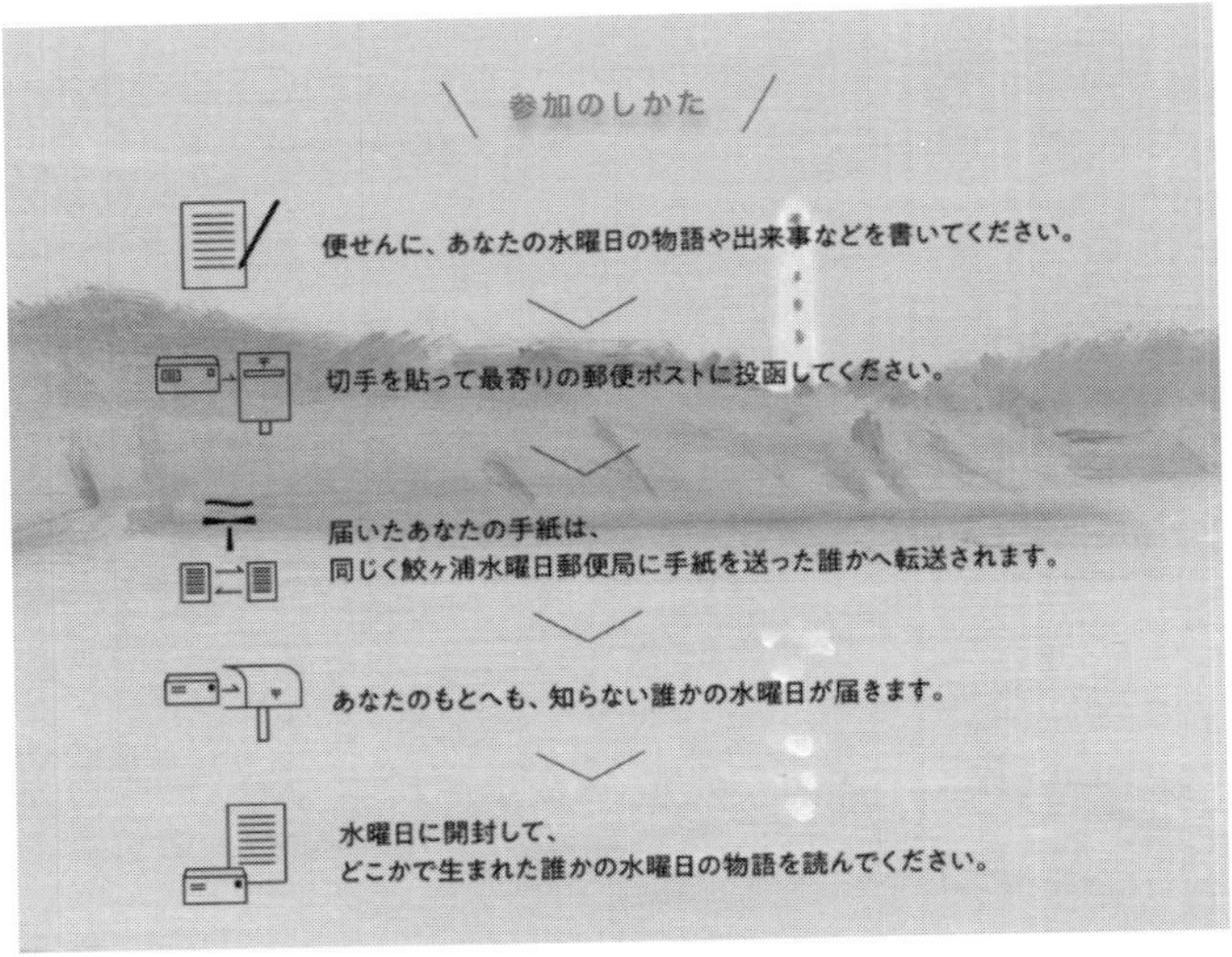

参加のしかた
便せんに、あなたの水曜日の物語や出来事などを書いてください。
切手を貼って最寄りの郵便ポストに投函してください。
届いたあなたの手紙は、
同じく鮫ヶ浦水曜日郵便局に手紙を送った誰かへ転送されます。
あなたのもとへも、知らない誰かの水曜日が届きます。
水曜日に開封して、
どこかで生まれた誰かの水曜日の物語を読んでください。

に国内外から届けられた手紙は、合計１４９６５通にも上った。

２０１６年には書籍『赤崎水曜日郵便局』（KADOKAWA）が、２０１８年には小説『水曜日の手紙』（同）、絵本『水曜日郵便局 うーこのてがみ』（同）が立て続けに出版。お互い知っている人同士が手紙を送り合う文通と違い、実用性はないが、知らない人どうしが刹那的につながるという、その不思議な叙情性と、遠く離れた見知らぬ人の日常への想像を掻き立てる仕掛けで多くのファンを生み出した。

海に浮かぶ小学校を舞台とした架空の郵便局

この水曜日郵便局を生み出した映画監督の遠山昇司さんは、『NOT LONG, AT NIGHT 夜はながくない』『マジックユートピア』などの映画で出身地である熊本を撮りつづけてきた人物。その映画のロケハンで、「赤崎水曜日郵便局」の舞台となる旧赤崎小学校に訪れたことがあったという。

「こういう面白い場所がある、と紹介されたんです。海に浮かんでいる日本で唯一の小学校。とても魅力的な場所でした。その後、この廃校を活用したアートプロジェクトを模索していたつなぎ美術館から依頼があって、改めて訪れることになったんです」（遠山さん）

映画監督の遠山さんは、風景から物語を考えることが多いという。海のうえにポツンと浮かぶ小学校。しかも、住所が面白かった。「熊本県葦北郡津奈木町福浜165番地〝その先〟」。魅力的なロケーションと不思議な住所。この二つを活かしたアートプロジェクトを生み出したい、と遠山さんは考えた。

「そこで自然と、郵便の仕組みを使うことを思いつきました。でも、本物の郵便局を作ることは我々にはできない。だったら架空の郵便局を作って、この場所に手紙を送ることができるようにすればいい」(遠山さん)

さらに、「水曜日のみ開局する」というルールを決めた。そこに、参加者は思い思いの水曜日の物語を送る。すると別の人の水曜日の

映画監督の遠山昇司さん

物語が届く。特設ＨＰも水曜日にしか閲覧できないようにした。水曜日に焦点を絞った理由は、「１週間のうち一番なんでもない〝日常〟の日だから」と遠山さんは語る。

市民とアーティストが協働する仕掛け

地域に根ざす美術館やアートセンターが住民やアーティストと協働しユニークなアートプロジェクトを生み出し、地域の見方を１８０度変え、観光振興やシビックプライド醸成に結びつける事例が増えている。遠山さんを招聘し、赤崎水曜日郵便局を実施したつなぎ美術館学芸員の楠本智郎さんもまた、地域住民を巻き込んだアートプロジェクトをこれまで多数しかけてきた人物だ。

「そもそも津奈木町っていうのは水俣病の被害地区なんですね。ですので、水俣病からの地域活性化のために補助金が下りて、町営の美術館ができた。それがつなぎ美術館です。小さな町なので住民どうしのつながりも強く、２００８年から住民とアーティストが企画の段階から顔を合わせてプランを練ってつくる住民参画型アートプロジェクトを開催してきました」（楠本さん）

いわゆる作家の個展を開いても、美術に興味のある住民しか訪れないだろう。公害からの再生のためにアートを活用したいという理由で始まった美術館だからこそ、すべての住民に開かれ、参加できるプログラムを生み出そうと考えた。その流れの中で、映画監督の遠山さんが招聘された。

「鑑賞するための、目に見える作品を作るのではなく、誰しも共有できる物語を生み出す映画監督の遠山さんだからできることがあるだろう、と。そこで遠山さんを呼んだんですが、もう一人、実際に住民と協働して作品を作るのが得意なアーティストの五十嵐靖晃さんを招聘し、遠山さんと二人でプランを練ってもらうことになりました」（楠本さん）

遠山さんは五十嵐さんと一緒になって全体コンセプトを練り、五十嵐さんは郵便局というだけあってその象徴となる「灯台ポスト」を住民と一緒になって作った。

オールドメディアの機能を〝すれちがい〟で読み替える

「町役場に企画書をもっていくと、みんなポカーンとしていました（笑）。『別に俺、知らん人の手紙読みたいと思わんわ』って。でも『ようわからんわ』と言いながら、予算つけてくれるところが津奈木町の面白いとこだなと思います」（楠本さん）

これまで10年近く、住民参加型のアートプロジェクトを仕掛けてきたことも大きいだろう。一方で、こんなエピソードがある。五十嵐さんが灯台ポストに必要な材料を探しにフラッと町の鉄工所に訪れた。ちょうど目当てのものが見つかったので「これください」というと、鉄工所の親父さんは二つ返事でＯＫしてくれた。「実は、この親父さん、地元では気難しい人と思われていたんです。このことを役場に報告すると、みんな目を丸くして驚いた。こういう何気ない、静かに町の人を巻き込んでいくのがアーティストの魅力でもあります」と楠本さんは振り返る。

また、いまでは津奈木町の住人は、水俣病の被害地区というイメージではなく、「水曜日郵便局」が生まれた町という誇りをもって、地元を語ることができるようになった、と楠本さんは話す。

それにしても、遠山さんはもともと映画監督。美術館とコラボレーションしアートプロジェクトを立ち上げるのは初めての経験だった。しかし、海辺にポツンと浮かぶ架空の郵便局を想像し、手紙を送る、というのはなんとも映画的な体験ではないだろうか。しかも、手紙を送り合うのではなくあえてすれ違いを演出する。この奇妙な仕掛けを思いついた理由について、遠山さんはこう語る。

「離れている人と人の距離を近づけるために手紙を使うのではなく、むしろ離れたままにさせておくこと。〝距離をデザイン〟したかったんです。さらに、五十嵐さんと話していく中でできたアイデアは〝メッセージボトル〟。海、郵便、遠い人とかすかにつながっている感覚——そんな情景が僕の頭の中で一つにつながったんです」（遠山さん）

「私に届く誰かからの手紙が私と社会とをつなげてくれている」

こうして2013年に開局した赤崎水曜日郵便局だったが、開局当初から数多くの手紙が届いた。選定基準は、「公序良俗に反しなければＯＫ」の一点のみ。思い思いの水曜日の物語が、国内のみならず世界中から届いた。膨大な量の手紙をすべて読み、別の人に送る事務局には遠山さん、五十嵐さん以外に、俳優の玉井夕海さん、アーティストの加藤笑平さんが参画。特に俳優の玉井さんは、印象的な手紙を読むと感情移入をしすぎて感極まることもあり、選定作業は大変だったという。

「がんの末期病患者病棟や老人ホームから届いたり。愚痴や怒りも、僕らは規制しません。浮気してる話や政治的な主張でさえも送った。もちろん、個人情報が書かれている手紙は個人情報を消して送ったり、子どもが読んだらまずい手紙はさすがに送る人を選んだりなどの配慮はしましたけれど。いちいち感情移入していたら心がもたない。僕たちは『神社の鳥居』のようなもの、鳥居はどんな願いを抱く人も通過させる、だからそこに意志があってはいけないのだと。そう言い聞かせながら黙々と作業を進めました」（遠山さん）

届いた手紙には印象的な手紙がたくさん届いた。たとえば、90歳代の女性からはこんな手紙が届いた。

「私は限界集落みたいなところに住んでいます。周りに住んでいる人はどんどん少なくなり、親戚もいなくなり、自分の子供たちもめったに来てくれません。私に届く誰かからの手紙が私と社会とを繋げてくれている大切な証なんです」

「孤独だけどつながっている」という不思議な感覚

2017年の9月11日は水曜日だった。すると、ニューヨークから手紙が届いた。3月11日やクリスマスイブの12月24日、バレンタインの2月14日が水曜日になる年もあった。

「送る相手を選べない手紙って、一方通行なんですよ。往復書簡ではないので、ある人とつながっている様に思えて実はつながっていない。でも、ギリギリつながっている感覚がある。ある意味、映画も一人で見るじゃないですか。孤独なんだけれど、映画を通して世界とつながっている感覚がある。水曜日郵便局は孤独を肯定する、肯定できるプロジェクトだと思ったんです」（遠山さん）

しかも、「水曜日を記録した『万葉集』のようなもの」（遠山さん）でもある。いつかの水曜日の何気ない風俗、風土、季節の風景、出来事の記録。そして、届かない願いや想いが水曜日郵便局という場所を経由して、誰かに届けられる。世界中から手紙を送り合った人々はさながら〝孤独によってつながるコミュニティ〟と言えるかもしれない。

赤崎水曜日郵便局は美術館の事業だったため、3年で〝閉局〟。ところが、閉局間近に地上波のバラエティ番組で紹介されたことをきっかけに、一気に手紙の量が増えた。

「それだけ反響があると、このプロジェクトは社会にとって必要な〝セーフティネット〟になってきた実感があったんです。そこで、今度は公の資金で運営するのではなく、完全民間の予算だけで立ち上げようと考えました」（遠山さん）

有志で集まり「水曜日観測所」という任意団体を設立。クラウドファンディングと企業からの協賛で開催のための資金を集めた。肝心なロケーションは、赤崎時代から、東北からの手紙が多かったのもあり、東北に絞ることに。〝水〟曜日だけあって、やはり海や水に因んだ場所がいい、そうして見つかったのが宮城県東松島市の宮戸島にある鮫ヶ浦という地域だった。

熊本から東北へ——第二の水曜日郵便局

鮫ヶ浦水曜日郵便局の運営に携わった現地スタッフの高田彩さんは当時を振り返りこう語る。

「島の人に以前教えてもらった宮戸島にある非常に印象的なトンネルを遠山さんにご案内しました。しかも、その先には地元の人も住んでない、漁師さんしか行かない鮫ヶ浦という小さな入り江が広がっている。真っ暗なトンネルを抜けた先にある場所というロケーションが面白くて」（高田さん）

高田さんは赤崎時代から水曜日郵便局の熱心なファンだった。地元の仲間たちで集まり自主的に手紙を書く会を開いていたそうだ。その関係で、東北での水曜日郵便局の実現に尽力することになる。

「トンネルを抜けた先に、小さな漁師小屋があって、そこに鮫ヶ浦水曜日郵便局が設置されました。水曜日の16時になると、ぼぉーっとライトが点灯します。私は週1回、そこに通って手紙を回収する役。ほとんど、誰も来ないところなんですけれどね」（高田さん）

実際にポストを設置したので、わざわざやってきて投函する人もいたそうだが、鮫ヶ浦に住居はないので、基本的に郵便配達の管区外。住所は「宮城県東松島市宮戸字観音山5番地〝その先〟」。にもかかわらず鮫ヶ浦水曜日郵便局には毎日、手紙が届く。なぜだろうか？　遠山さんは説明する。

鮫ヶ浦水曜日郵便局
トンネルをぬけると、
そこには水曜日がありました。
2017.12.6(水)開局

「日本郵便株式会社東北支社に全面協力してもらいました。誰も見てないけれど毎日郵便配達員がやってくるということが重要だと思ったんです。また、これは前回もそうなんですが、オリジナ

ルの消印を作りました。これも日本郵便の協力が不可欠でした」（遠山さん）

遠山さんはその後、茨城県水戸市で公衆電話を使ったアートプロジェクト「ポイントホープ」を生み出した。これは、NTT東日本の協力を仰ぎ、特定の公衆電話から特定の番号に電話をかけると、留守番電話機能で物語が聞ける、というもの。参加者が地図を手に水戸市内の公衆電話をめぐりながら、物語と、水戸の風景を同時に楽しむというユニークなツアー型アートプロジェクトだ。ちなみに、常に地域にある一定数の公衆電話がないと、災害などのときに困るから決してなくならないそうだ。このように手紙（郵便）や公衆電話といった、すでに使い古されインフラとなった「メディア」を活用する

のが遠山さんのやり方だ。

「ポイントホープではケータイ電話からはつながらず、公衆電話からしかつながらないシステムを構築したのですが、NTT東日本の担当者から『こんなニーズは世の中に存在しません』と言われました。インターネット社会に突入していく中で、ある種取り残されていく手紙や公衆電話というオールドメディアが持つ特殊性や呪術性に光を当てることで、まだまだ面白いことができるんじゃないかと僕は思っています」（遠山さん）

「コンテンツの容れ物」ではなく、「つながりを生むツール」として

水曜日郵便局は、直接的なコミュニケーションをあえて避けて、すれちがったまま、孤独なままつながることのできるメディア・プロジェクトだ。原則一人でしか聞けない公衆電話もそう。こうして考えると、同人誌が志を同じくする人々の連帯を獲得するためのものだったように、直接の対話ではなく、孤独なままつながりを感じることができるのがメディアの一つの特徴であるように思う。

オールドメディアを活用し、本来の機能を拡張した「つながりかた」を発明している事例は他にもある。新橋の居酒屋「有薫酒造」が始めた「高校よせがきノート」がそうだ。店舗には全国に

5300ある高校のうち3000以上の高校のよせがきノートが置かれており、訪れた人は自分の母校のノートにコメントを寄せることができる。他にも、京都・嵐山の直指庵に置かれた「想い出草ノート」も有名だろう。これらはアートプロジェクトと呼ばれてはいないが、メディアを活用したユニークな取り組みをしたい人にとっては参考になる事例といえるだろう。

そもそも「メディア」とは、ラテン語のmedium（中間、媒介）に由来する概念であるが、第一次世界大戦以降、消費社会の到来とともに「特に広告媒体として意識された新聞、雑誌、ラジオなどを集合的に示す『マス・メディア』として人口に膾炙」された（佐藤卓己『現代メディア史』岩波書店）。以降、メディアは、マスコミュニケーション研究の主要な概念となった。

一方、テレビが覇権を取りはじめた1960年代、マーシャル・マクルーハンは、狭義のメディア（すなわちマスメディア）ではなく、広義のメディア（文字や自動車、衣服）について論じた。時代は下って現在、従来型のマスメディアの存在を脅かす新しいメディアが現れた。インターネットである。さまざまなSNSが生まれては消えていく現代において、メディアの概念を広義に扱うことの重要性が高まってきた。メディアとはコンテンツの容れ物であるだけでなく、その機能によって、さまざまな相互作用を生み出すツールだということが受け入れやすくなってきたからだ。

情報発信媒体としての機能を超えて、〝コミュニケーションを促進するツール〟であると解釈するならば、発信者と受信者の間で情報（や行為）を伝達する「媒介物」であると考えられるあらゆるものがメディアになりうる。こんな問題意識から、僕は全国各地で、地域振興に役立つ「ツールとしてのメディア」を構想・発表するワークショップを展開している。

紙かウェブか、といった議論は、メディアの機能を矮小化するものでしかない。たとえばスマホアプリやゲストハウス、ボードゲームや回覧板でさえ、その機能を読み替えることで思わぬ「つながり」を生むツールになる。メディアを活用したアートプロジェクトが、ひょんなことから地域課題や社会課題をブレイクスルーするきっかけになることさえある。階級や世代、国籍で分断された現代社会こそ、新しい「つながり」を生み出すユニークなメディア実践が求められる。

美術館から地域に飛び出し、玉石混交の感も否めないのがアートプロジェクトという新しいフィールドだ。だからこそ、美術館だとか劇場といった場に縛られることなく、現代美術の歴史の正統性に萎縮することなく、新しいオーディエンス、行政や私企業といった新しい協働者を巻き込みながら、誰もみたことのない「広義のメディア芸術」が今後も多数生まれることを楽しみにしている。

※本原稿は、２０２０年10月9日にダイヤモンド・オンラインに掲載された取材記事をもとに加筆修正のうえ掲載しました。

座談会

地域から個人の内面へ——アートプロジェクトの本質とは

芹沢高志×若林朋子（聞き手：橋本誠×影山裕樹）

この10年、政府による地方創生戦略に呼応するように、全国各地で芸術祭やアートプロジェクトが多数開催されてきた。そんななか、アートプロジェクトの地域振興における有用性のみが強調され、本来アートが持つ可能性が矮小化されてしまっていないだろうか。横浜トリエンナーレ、別府現代芸術フェスティバル、さいたまトリエンナーレなどでキュレーターやディレクターを歴任し、地域とアートの関わりに長く取り組んできた芹沢高志氏と、企業メセナ協議会プログラム・オフィサーを経た後、さまざまなアート系ＮＰＯの支援に関わる若林朋子氏とともに、今後のアートプロジェクトの未来について議論を交わした。

若林朋子（わかばやしともこ）

プロジェクト・コーディネーター／プランナー。1999〜2013年公益社団法人企業メセナ協議会で企業が行う文化活動の推進と芸術支援の環境整備に従事。その後、フリーランスで各種コーディネート、コンサルティング、調査研究、編集、執筆、NPO支援等を行っている。

芹沢高志（せりざわたかし）

P3 art and environment代表。1989〜99年まで新宿区四谷・東長寺を拠点に、その後は様々な場所でアート、環境関係のプロジェクトを展開している。別府現代芸術フェスティバル『混浴温泉世界』総合ディレクター（2009年、2012年、2015年）など。

アートプロジェクトという概念はいつ普及したか？

橋本誠（以下、橋本） 芹沢さん率いるP3が事務局として関わっていらしたアサヒ・アートフェスティバルの10周年本［★1］が出版されたのが2013年のことですが、それから約10年経過しました。また、同時に2011年の震災以降のアートプロジェクトについてまとめたくて、EDIT LOCALを企画制作する影山さんとともに今回の本の企画を立ち上げました。まず、芹沢さんから、アートプロジェクトの定義について簡単に整理いただけたらと思います。

芹沢高志（以下、芹沢） まず、プロジェクトはpro（前へ）ject（投げる）という意味なわけだけれど、日本語に訳せば「計画」。なので、将来どういうものを作っていくのかっていうことになる。極端に言えば「プロジェクト・アポロ（アポロ計画）」も人間が月に行って帰ってくるという「計画」なわけです。また、プロジェクト（計画）はプロセスがとても大切です。それまではアートっていうと完成した「作品」をイメージする人が多かった。これは美術に限らず、オペラやコンサートなんかでもそうですよね。

僕自身は1991年に蔡國強と一緒に「原初火球」［★2］という展覧会を作った頃が、アートプロジェクトと関わる最初だったと思う。火薬を爆破してできた焦げ跡に彼が字やダイアグラムを描き込んで、一つの絵画作品を作るわけだけど、面白いのはそうしてできた作品が、次の計画の構想図なんですね。93年の「万里の長城を1万メートル延長するプロジェクト」もそうやってできていった。当初から作品とプロセスは切っても切れない関係だよね、と彼とは話していたので、「原初火球」のサブタイトルに「project for projects」とつけたんです。これから生み出される蔡のプロジェクト群を作っていくプロジェクト、という位置づけでした。

橋本　なるほど。蔡さんは火薬ドローイングでプロジェクトの構想も描いているし、ドキュメ

「万里の長城を10,000m延長する」　撮影：森山正信

ント映像なども多く発表していますね。プロジェクトのプロセスも作品の一部という印象は確かに強いです。

芹沢　あの頃は、アートプロジェクトがここまで「地域」と密接な概念になるとは予想していなかった。あくまで、一人ではできないような規模の「計画」を「プロジェクト」と呼んでいたから。だからまずは基本的なこととして、地域でやること＝アートプロジェクトではない、ということを最初に共通認識として持っていたいと思う。

影山裕樹（**以下、影山**）　整理ありがとうございます。僕自身はまさに上記の本の編集で芹沢さんとご一緒したのが2012年でしたから、その頃から地域とアートの関わりに強い関心を持っていました。ちょうど日本で芸術祭が各地で乱立しはじめるのもその頃からだったと思います。

芹沢　アートプロジェクトという言葉が一般的に使われるようになったのは、歴史的に見ると1990年の「ミュージアム・シティ・天神」も一つの嚆矢だったと思う。でもこれほどまでアートプロジェクト＝地域でやるものという感覚が強くなったのはやはり、2000年に北川フラムさんが始めた「大地の芸術祭　越後妻有アートトリエンナーレ」でしょうね。一方その対局として2001年に都市型の国際展である「横浜トリエンナーレ」がスタートする。

出発点としては半ば国策としてスタートした都市型国際展と、もっと地域開発的な文脈で、これまでハードに掛けていたお金をソフトに使おうという世の中的な流れから生まれた「越後妻有」というふたつの流れがある。ちなみに「越後妻有」の「光の館」なんかは、そこに行くまでの道路の整備と作品の設置がうまい具合に組み合わされていて、今までの都市開発、地域開発を進めてきた人たちにとってもある程度許容できる仕組みにしたのは素晴らしいなと思った。結局、二回目以降の「越後妻有」はどんど

川俣正「不在の競馬場」（とかち国際現代アート展「デメーテル」）　撮影：萩原美寛

ん地域と密着した形になっていった。

僕にとっての地域×アートプロジェクトの仕事の最初は２００２年の「とかち国際現代アート展『デメーテル』」［★3］ですね。「デメーテル」の立ち位置としては「越後妻有」と「横浜トリエンナーレ」の間くらい。コンセプトとしてはホワイトキューブじゃないところ、ばんえい競馬場という場所の文脈をアートと組み合わせると面白いだろうという発想が原点。そこまで地域コミュニティにアプローチしようとは考えていなかった。

橋本　「デメーテル」で招聘した作家の一人、川俣正さんに誘われるかたちで、今度は２００５年の「横浜トリエンナーレ」のキュレーターを務めるわけですね。

芹沢　そうだね。いずれにしろ、２０００年頃からこうしたフェスティバルに関わってきて、まさかここまで地域振興とか観光の文脈にアートが入ってくるとは思いもしなかった。

影山　地域に関して言うと、先ほど芹沢さんがおっしゃっていたように、芸術祭には二種類の方向があると感じていて。「横浜トリエンナーレ」式の国際展、つまり国際的に活躍している作家の作品を観に行く体験をベースに置くもの。これは美術館に展覧会を観に行く感覚と近いと思います。もう一つが、芹沢さんがディレクターを務めた「さいたまトリエンナーレ2016」や「さいたま国際芸術祭2020」のような、市民を巻き込む形の芸術祭です。市民の感覚からすると、作品を観に行く「観客」であるか、作品を生み出す協働者側、あるいは創造者になるかという、決定的な違いがあるんですが、このふたつの指向性がごっちゃになったまま地域とアートの関係性がこれまで議論をされてきたように思いますね。

若林朋子（以下、若林） 21世紀に入る直前の数年間で、アートプロジェクトと呼ばれるものがたくさん出てきたという印象があります。今で言うアートコレクティブの走りである「スタジオ食堂」が出てきたり、企業メセナの担当者や美術関係者によるアートの支援組織「ドキュメント2000プロジェクト」［★4］が生まれて、全国のアートプロジェクトをサポートしたり。芹沢さんがおっしゃる通り、当時はアートプロジェクトという概念が必ずしも地域と結びついていなくて、もっと広く捉えられていたと思います。

でもやっぱり、2000年の「越後妻有」のインパクトがものすごく強くて、妻有が徐々に成功体験になってくると、その成功体験をフォーマット化して追随する動きが出てきたという感じはします。最近の流れとしては、影山さんがご指摘のように、市民が主体的なアクターとして重要な存在になって、地域に限らず、医療・福祉、教育、若者のニート問題、高齢者、多文化共生など、実に様々な社会領域とアートプロジェクトが接続しています。福祉の領域は、東京オリンピック・パラリンピック競技大会の影響も大きいですね。

とはいえ、私が課題に感じているのは、アートが他の社会領域とかなり交わっているにも関わらず、まだ「アート」の持つ可能性が広く社会一般に受容されているとは言えないんじゃないかということです。これについてはみなさんどうお考えですか？

アートが持つ可能性の射程

芹沢　そもそも、課題解決型のアートがすごく増えてきた。若林さんが指摘するように、地域から始まって福祉やビジネスなどの課題を解決するものとしてアートが取り沙汰されるようになった。それは現代アートというジャンルの社会的な普及につながっているようにも見えるけれども、実際のところアートは課題解決型というより問題発見型という性格が強いものだと思うんです。

結局アートは個人的な経験、ひとりの「わたし」のモノの見方に働きかけてくる類の経験ですよ。

個人の「ＯＳ」に作用するようなもの。その個人個人の変質が集合としてのコミュニティ、社会に伝播していって、結果的に社会課題を解決することはあると思う。ただ、個人の内面に作用するという、アートが持つ可能性の根幹がぶれていてはダメだろうと思う。僕自身、都市計画の仕事をしていた時に、アーティストと出会ってびっくりした。彼らは、クライアントから頼まれなくても勝手にやっちゃうんだ。コストに対してベネフィットがどれくらいかっていう、デザインやクリエイティブによる社会課題の解決と、アートの持つ問題生成的な方向性は異なると思うんですよね。

僕の経験からすると、第一回目の「混浴温泉世界」［★5］の時に大分芸術短期大学の学生が

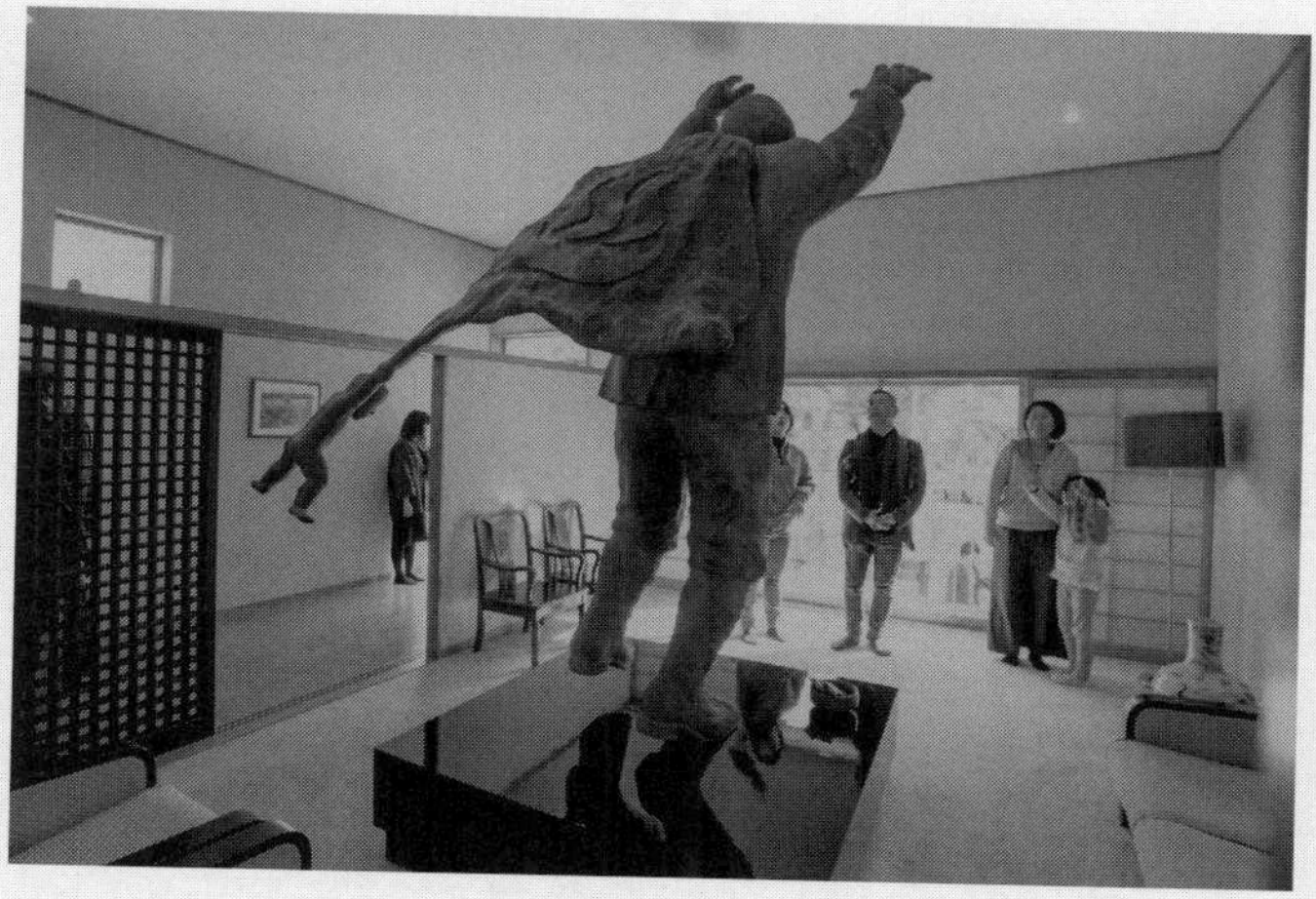

『西野 達 in 別府』油屋ホテル、2017年、西野 達
撮影：脇屋伸光　© 混浴温泉世界実行委員会

大挙して手伝いに来てくれて、作品のコンセプチュアルなことはわからないけれど、わたしはこう思うんですって勝手に作品の解説を始めたり、とにかく愉しそうだった。そしたら、それまで遠巻きに見ていた地域のおじいさんおばあさんが寄ってきて、なんかわからんけど若い子が頑張ってるんだからって、いなりずしを振る舞ってくれたりするようになった。そこから芸術祭が一気に盛り上がっていったんです。

もう一つ印象的だったのが、ジンミ・ユーンという韓国系カナダ人のアーティストがいて、ソウルの日本大使館とアメリカ大使館の間を這って移動する作品があるんですよ。そういう道を這う作品を別府でもやってもらうことになって、街中を這う映像を撮ったんですね。それを寂れた商店街の電気屋のモニターで流したんですが、いつも近くに立っている客引きのおばちゃんがじっと見ている。僕は正直、失礼な話だけど、彼女にはこのハイコンテンクストな作品の意図は理解できないだろうなと思っていた。でも彼女は一言ぼそっと「人生這ってでも生きなあかん」と呟いたんです。これに僕は感動してしまって。

橋本　市民の変化という意味で特筆すべきなのは、ライスボール山本さんのような存在ですね。

芹沢　もともと給食センターで働いていた人なんだけれど、近くに若いアーティストが共同生活する「わくわく混浴アパートメント」に通ううちに、アーティストに転身してしまった人ですね（笑）。

橋本　芸術祭でよくある制度化されたボランティア・サポーター・コミュニケーターという枠とは関係なく、毎日のように現場に現れて、私のような来訪者も受け入れつつ、自分が一番楽しんでいる。アーティストや作品に影響を受けて、自分でもちょっとした関連グッズや作品をつくっているんですよね。全て自分ごとになっている。

市民の自発的参加を促す仕組みづくり

影山　いまの話は面白いですね。やはり先程の若林さんの「アート」の持つ可能性が広く社会一般には受け入れられているとは言えないんじゃないか、といった問いの答えとして、必ずしも職業的アーティストではない人がアート的創造活動の担い手になる、そうした機会を作ることが地域×アートの可能性の中心ではないかと。本書で取り上げたアートプロジェクトもそういう類のものになっていると思います。では、そうした市民を巻き込むためにどういう仕組みを作ればいいのか。

一つは、市民連携プログラムであったり、市民が関わる関わりしろを増やすプログラムづくりにあるのではないかという気がしています。

若林　サポーターとして参加される市民は、おそらくモノとしてのアートよりも、コトとしてのアートプロジェクトに興味を持つことが多いと思う。先程、芹沢さんが紹介された別府の例のように。こうやって作品が出来上がっていくんだ、こういう発想がこの場で生まれて、こういうプロセスで、こういう人たちが形にしているんだ。私も関われるかな？　でもそもそもこれってアートなの？みたいな新鮮な驚きと、徐々にアートやアーティストと距離が縮まっていく感じ。コトのアートを知った時に市民がアートに親近感を覚える。それがここ15年、20年でアートプロジェクトが得た手ごたえの一つだと思います。

芹沢　確かにそうなんだけれど、さらに個人的にはさいたま市の2つの芸術祭に関わってきて、そろそろ役所が単独でやる事業としての芸術祭には限界を感じているんですよね。首長が変わればなくなってしまうし。先程のコストに対するベネフィットの話もそうだけれど、自治体は特に定量的な成果が目に見える形で欲しい。でも、アートは必ずしもコストに見合わない不確実な問題生成的な営みになるので、一元的な行政の判断から独立した中立的な組織、例えばアーツカウンシルなんかがプログラムを担い、独自の評価軸を持っていくことが必要なんじゃないかと思っている。

２０２０年に、これまで継続的に開催されていた「神戸ビエンナーレ」という芸術祭をやめて、「TRANS-」［★6］っていうアートプロジェクトが行われました。これの面白いところは、大規模な芸術祭ではなくアートプロジェクトって言いきっているところ。参加作家もグレゴール・シュナイダーとやなぎみわの二人だけ。世界的に見ると国際展や芸術祭は大型化し、百花繚乱になっているのでそれと真逆の選択をしている。

僕は、アートに公的なお金を入れることには賛成で、税金を投入すべきだと思っている。けれど、行政主導となるとどうしても来場者数などの評価に目が行きがちなので、資金的にも人材的にももっと多様にして、アーティストも企画者も身動き取りやすい状態を作る。そういうアートプロジェクトが増えていくといいと思っています。

若林　同感です。たとえば、瀬戸内国際芸術祭であれば「こえび隊」の存在は大きいですね。作品の管理からイベントの運営まで、相当な範囲をサポーター組織であるこえび隊に任せて、行政と民間で運営している。現場運営から資金調達まで担える民主体の組織があることが、現場の自立・存続やその先の市民参加につながるんだと思う。主催は行政だとしても、運営や評価を担っていける組織体なり経営者が共存していることが大事だというのは、例えば２０１９年の「あいちトリエンナーレ」でも見えてきたように思います。

評価といえば、昨今「社会的インパクト評価」と言われる手法が流行っていますが、これは変革の目標として最初にゴールを設定する、極めて計画的な評価です。近頃はフォーマット化したアートプロジェクトが多いとはいえ、芹沢さんがかねてからおっしゃっている、計画になじまないアートの不確実性とか、コストとベネフィットが釣り合わないアートの本質的な価値をどう評価するか。

評価のロジックモデルをつくる以前に、「必ずしもコストに見合わない、不確実で、問題生成型のアートの営み」について、もっと深く話し合う必要があると思うんです。

芹沢　プロジェクトは「計画」だって最初に話したけれど、計画っていうのは硬直性を内包している。たとえばコロナウィルスのパンデミックが落ち着いた先に、本当に元の生活に戻りたいの？という問いはありうると思うんですよね。あんなに貧富の差が激しくて、環境汚染が進んで、温暖化も進んでいて、そんな世界に私たちは戻りたいのか。やっぱりギリギリのところで今までの我々のやり方自体がおかしいんだ、直さなきゃいけないんだっていう意識を導き出すのはアーティスティックな感覚だと思う。もともと計画する側にいたから、まさかこんなにアートの擁護者になるとは思っていなかった（笑）。でも今はもう臆面もなく言える。アーティスティックな感覚がなければ社会デザイン、社会運営とか、企業の経営とか、全部成立しない、とさえ自信を持って言えるな。目先の問題解決に追われるのではなく、本質的な問題はなんなのか、発見すべき時なんだ。

アートプロジェクトの評価の方法について

橋本　市民参加型のアートプロジェクトは増えてきているし、アーティスト自身もむしろそれを積極的に引き受けるタイプの方が増えてきているように思います。あるいは、普段はデザインの領域で仕事をしているけれど、今回はアート寄りのこともやってみようという、どちらかというと「アーティスト」という限定的な意味合いよりも広く捉えられている「クリエイター」的に仕事をしている人も増えてきたように思います。そんななか、アートの可能性を定義すると、「社会実装には至らない実験」なのかなと思っていて。そもそも課題が何かわからなくなっている。問題が複雑化してきている時代だからこそ、その突破口を探る手段としてのアートプロジェクトに可能性があると思います。

影山　そういう行政主体ではない自発的に問いを発信するアートプロジェクトがたくさん増えてくるためには、橋本さんが勤めている地方のアートセンターのような場がインキュベーションセンターとして機能する可能性はありますでしょうか。

若林　可能性あると思います。「社会実装には至らない実験であることがアートの可能性」っていう定義、ものすごくいいですね。問題は資金と評価ですかね。評価のことをいえば、ゴールありきではないプロセスの評価、計画になじまないアートの営みを評価する指標を持つこと。そして、ネガティブチェックの評価よりも、むしろ良いところをしっかり評価していく必要があると思う。

普段、助成金の審査をしていても、プロジェクトの事業評価をしていても、切実に課題だと感じるのは、問題や欠点を指摘する評価に偏っていること。厳しいことを言う方が実は簡単なんです。でも、良いところを的確に評価する言葉を持たないと、結局のところアートの価値が社会一般に浸透していかない。このアートプロジェクトは何の萌芽で、どのような価値があるのか言語化することが大事。そのためには、評価者がプロジェクトの初期段階から並走して、時間をかけてプロセスを見る必要がある。でも、評価する側がそういう時間をかけないんですよね。事業が終了してしまった後に評価を依頼して、ささっと済ませる。行政では時間をかけられないなら、民間発で専門的に取り組む必要があるかもしれません。

影山　これは編集者としてこの10年アート業界に携わってきて、とても問題だと思っているのがアートメディアの問題です。結局、作家が作った作品、あるいは美術館学芸員がキュレーションした展覧会としてしかアートを消費することができていない。作品を生み出す側と批評する側が互いに「作品」を間に向き合っている構図が伝統的に固定化されている気がするんです。アートプロジェクトのアクターがアートの専門性の外側に広がっているのはこれまでの議論から明らかです。だから、これからの時代はその複数のアクターの相互作用としてアートプロジェクトを記述、批評する必要があると思っていて、それが本書を作ろうと思った動機の一つでもあります。

若林 すごく大事なところですね。専門家だけでない多様なアクターがアートプロジェクトを記述、批評して、それが互いに作用しあうことにこそ、アートの未来があると思います。それと、肝心のアートプロジェクトを回す資金面については、私も芹沢さんがおっしゃっていたように、公的なお金も入ることが大事だと思う。文化や芸術も公共政策だと理解してもらう必要があるから。それと、もはやアートは教養でも道楽でもなく、社会を駆動し、社会を構成する一人ひとりの生き方に作用するOSでもあるから。一方で、やっぱり困った時に最後に寄り添ってくれるのは民、個人だったりするので、普段からアートの専門的な世界の外にいる複数のアクターに働きかけて、サポーターを増やして、民から民へのお金の流れをつくっておくことも大事ですよね。

芹沢　僕も、一人ひとりが納めた税金がアートに流れていくべきだと思ってる。アートが好きな個人だけが支えていくのではなく、我々みんなで支えていく。それをしっかり世界に見せるためには、予算配分で見せるべきだと思う。ドイツなんか、政治的な指導者たちが、アートは我々の生活に必要不可欠なんだとさらっと言いましたよね。政治家が公に発言できるということは、それだけ市民から必要とされていることの証左だと思う。

若林　メルケル首相やグリュッタース文化相の話で、ベネッセホールディンクスの福武總一郎さんの「経済は文化の僕（しもべ）である」という言葉を思い出しました。文化のため、つまりは、人々が幸せになれるいいコミュニティづくりのためにこそ経済はある、という考えです。経済的に余裕がある時だけアートをやるという発想とは真逆なわけです。経済活動で得た利益で公益的な活動も行う、公益的な活動を行うためにも事業活動で利益を上げていくという「公益資本主義」も早くから提唱されていて。コロナでアートの不要不急が問われたり、資本主義の限界が指摘されたりする今、もっと多くの人に知ってほしいなあ。

アートと表現のあいだで

橋本　社会を変えていく、有意義な問いを生み出していくのがアートだ、と言った時に、「アートなのかアクティビズムなのか」という議論があると思います。本書でも取り上げたクリエイティブサポートレッツは、イベント主義ではなく、日々の実践そのものからスタートしています。おにぎりを作る日常を絶対に面白くしていこうという姿勢。そしてそこからある種のアクティビズム的なスタンスで、現状の社会に重要な問いを投げかけている。彼らは「表現未満、」という言葉を使っていますが、「法人格としてのアーティスト」も増えてきたように思います。

若林　レッツはアートとアクティビズムの両輪でいく法人格としてのアーティストですね。釜ヶ崎のココルームも「表現」という言葉を使っていますね。アートより表現といったほうが市民にとっては近いし、意味することの間口が広い。これからは「アート」を「表現」のほうに引き寄せていくためのサポートや批評、評価も、ますます求められると思います。

影山　あるいは、本書で取り上げた仙台の事例のように、複数の主体、それも職業アーティストでなく、記録者としての市民も含めた広い意味での「表現者」が震災といった大きな出来事を機に交流する機会を得て、互いに強い影響を与えながら様々な作品を生み出していく、その「現象」の全体をアートプロジェクトととらえていく視点も必要だと思います。それこそ、アート作品とその紹介・評価という従来のフォーマットを超えて、批評やメディア、アートセンターがこれから担うべき重要な役割じゃないかと思います。

★1　**藤浩志＋AAFネットワーク著**『地域を変えるソフトパワー』（青幻舎、2013）。アサヒ・アート・フェスティバル（AAF）は、全国の市民グループやアートNPO、アサヒビールなどが、2002〜2016年まで協働で開催していたネットワーク型のフェスティバル。各地に市民主導型のアートプロジェクトが興隆するきっかけをつくった。

★2　P3 art and environmentとして、四谷の禅寺・東長寺の講堂で1991年に開催した展覧会。蔡國強はここで発表した「火薬ドローイング」の手法をトレードマークに、大規模プロジェクトを様々な場所で実現し世界的なアーティストとなった。

★3　2002年夏に帯広市政120周年などを記念して、帯広競馬場をメイン会場として開催。国際的に活躍する10組14人のアーティストが、帯広の土地の特性を読み取って作品を発表した。

★4　「ミュージアム・シティ・天神」のほか、1990年代に日本各地で行われていた、社会と関わる様々なアートプロジェクトの事例の研究や、その報告会等が行われた。その記録は『社会とアートのえんむすび1996-2000―つなぎ手たちの実践―』（ドキュメント2000プロジェクト実行委員会、2001）としてまとめられている。

★5　アーティストでNPO法人BEPPU PROJECT代表理事の山出淳也が総合プロデューサーを務め、大分県別府市で3年に一度開催（2009年、2012年、2015年）。国内外のアーティストが参加し、温泉地ならではの作品や、中心市街地をツアー形式でめぐる作品などを発表した。

★6　「アート・プロジェクトKOBE 2019：TRANS―」2019年秋に神戸の新開地・兵庫港・新長田で開催された。核となったグレゴール・シュナイダーの作品は、開催地域それぞれを歩きながら体験する内容だった。

COLUMN 2

作品から現象へ ——アートプロジェクトの時空間

影山裕樹

平常時の社会的構図や分裂がことごとく崩壊すると、全員とは言わないが、大多数の人々が兄弟の番人になろうとする。すると、その目的意識や連帯感が、死やカオス、恐怖、喪失の中にあってさえ、一種の喜びをもたらすのだ。

——レベッカ・ソルニット［★1］

震災に対するアーティストの動き

２０１１年の3月11日、僕は東京・巣鴨にある自宅で老猫をかかえクローゼットで丸まっていた。20歳になろうとするその老猫は、地震の揺れを飼い主があやしているのと勘違いしてまどろんでいた。ちょうど勤めていた出版社を辞めて半年ほど経った、フリーランス駆け出しの頃だった。自分の将来を心配する間もなく情勢は瞬く間に変化し、原発が爆発した。震災直後の数週間は、東京から友人たちを連れ出そうと駆けずり回っていたアーティストの車に同乗し、京都で過ごしたりした。

それから一月ほど経って、東北に入った。仙台の自宅を解放するアーティストの家に滞在し、しばらく東北各地を回った。あまりに常軌を逸した光景を垣間見たのと同時に、何か作品を作ったり表現することが後ろめたいものと思え、ただ瓦礫撤去のため体を動かすことや被災者の話に耳を傾けることが正しいことなのだと、葛藤しながらそれぞれの仕方で震災に向き合おうとするアーティストたちの姿を見た。ある種の「真正さ」を自らに課すそのあり方にアーティストという職業の特殊性を垣間見、眩しく感じたものだ。

それから数年間は、東京以北のアートプロジェクトや芸術祭に編集者として関わった。その当時のアート業界を振り返ると、震災後の高揚感や実直さで満たされていたように思う。「3・11とアーティスト：進行形の記録」（水戸芸術館、2012年）や、「志賀理江子 螺旋海岸」（せんだいメディアテーク、2012年）などの展覧会が震災後一年経った後に立て続けに開催された。演劇の領域でも、フェスティバル／トーキョー12では演出家・高山明さんが東京の都市空間を福島に見立てたツアーパフォーマンス「光のないII」を発表したり、僕がエディトリアル・ディレクターとして参加した「十和田奥入瀬芸術祭」（2013年）で発表されたいくつかの作品も、放射能を題材とした作品や、それを連想させるものが多かったように思う。

一方、当時、東京にあるアートセンター・アーツ千代田３３３１では東北にまつわるあらゆるプログラムが開催されていた。東北へ通っていたアーティストによるトークショーや展覧会、はたまた被災した地域で流された写真を洗浄するボランティア活動の会場にもなっていた。そのアーツ千代田３３３１で、アーティストの藤浩志さんと出会ったことが、僕がアートプロジェクトと関わる大きなきっかけになった。当時、藤さんは十和田市現代美術館の副館長に就任したタイミングで、僕は編集者として２０１０年台前半の同美術館のいくつかの企画に携わることができた。

アートの可能性を広げるアートプロジェクト

最初に企画協力として関わったのが、「超訳びじゅつの学校」（２０１３年）という展覧会。一度入場料を払えば、何度でも入れることができ、さらに観客は招聘アーティストらが「部長」となった「部活」に参加できる。また、自分で新しい部活を立ち上げることも推奨されており、部長は特設サイトのブログページに自由に活動報告をアップすることができる。冬の十和田で行う展覧会を、観客動員数で測るのはあまりにも厳しい。でも、わざわざ展覧会に足を運ばなくても、そこで何が行われたか、どんな活動が生まれ、日々動いているかを、例えば東京の人間もブログを見れば分かるようにした。「客が入っているかわからないけれど、なんだか盛り上がっているように見える」ように見せるのが一つの目的だった。ちなみに、この展覧会に招聘した3名の作家のうち2名（山下陽光と下道基行）とともに、「インターネット時代の路上観察」をテーマに「新しい骨董」というグループを立ち上げたのはその数年後の話である。

　展覧会として、あるいは個々の招聘作家の作品の出来不出来を評価する視点は排除した。気鋭の作家と無名の地元の人の「部活」を並列に並べ、優劣をつけることなく同じ場所に置いた。むしろ、アーティストに触発されて、非職業アーティストである市民ひとり一人が表現を始めてしまう、その波及効果を生み出すことに関心があったのだ。

　というのも藤さんと出会って一番衝撃だったのが、アートは単に作品として鑑賞したり

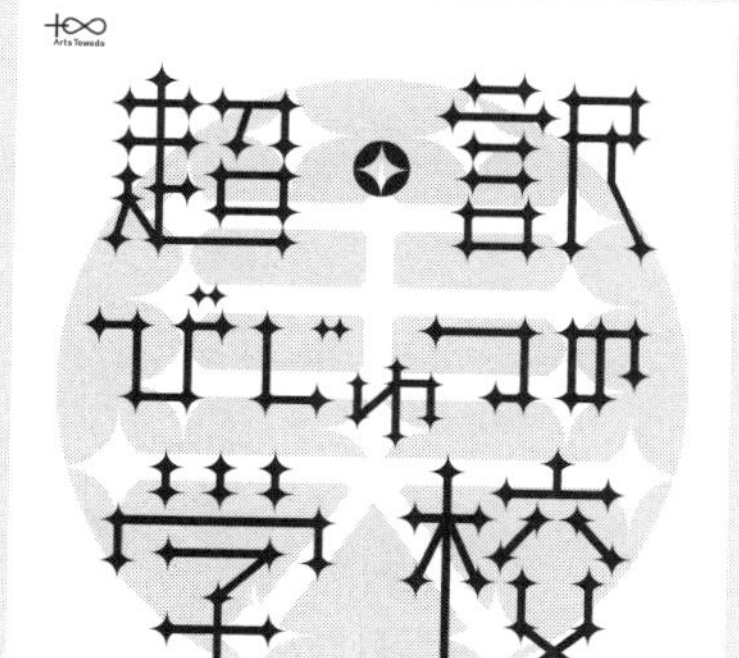

「超訳びじゅつの学校」（2013年）

批評するものではない、もっと拡張された何かだと気づいたことだ。そもそも藤さんは京都市立芸術大学大学院在籍中の1983年、無許可で鴨川の中に展示した作品が京都市土木局によって撤去され、大学がそれに抗議する事件を巻き起こした。ある意味まちなかをキャンバスにしているわけだが、重要なのはホワイトキューブと異なり、そこでは社会との間で様々な摩擦が生み出されるということだった。それから30年以上経って、十和田市現代美術館の副館長を務めることになったタイミングで、藤さんは上記のような市民を巻き込む展覧会を構想した。僕はこれに関わることで、アートの捉え方が180度変わった。作家の手を離れて社会に染み出していく「アートプロジェクト」という言葉を始めて理解した瞬間だった。

文化的多様性を生み出すアートプロジェクト

「超訳びじゅつの学校」から10年近く経つ今なら、もしかしたら僕がアートプロジェクトに衝撃を受けたような感覚を、もっと多くの人にも共有できるかもしれない。例えば、映像コンテンツに関して言えば、かつてのように映画館で1、2時間の映画をじっくり観ることよりも、NETFLIXでせいぜい1時間程度のドラマシリーズを休み休み観るスタイルのほうが今の時代にフィットしている。わざわざ映画館に行くなら、黙って座って鑑賞するよりも、発声可能上映であったり、屋外のリゾートでお酒を呑みながらクラシックな映画を観るほうが体験価値としては高いだろう。

アートや演劇に関しても、ザ・作品と向かい合って鑑賞して、個々の作品を受容することよりも、その場所でどんな副次的な体験ができるかのほうが重要になってきている。「作る人」「鑑賞する人」の関係が能動と受動ではっきりと分かれていた時代はもうとっくに終わっていて、作ることと鑑賞することの境目が溶け始めている。だから作り手のほうも、オーセンティックなアートメディアに展覧会評が掲載されるよりも、そこでどんな出来事、市民や社会との相互作用……つまり「現象」を生み出せたかを重視するようになってきた。

「作品」を媒介に同質的な集団の成員どうしで批評しあったり、上下関係を作ったりという営みは、それぞれのセクター（作家、美術館、メディア）の権威を固定化し、文脈を共有しない新しい観客層を排除し、結果としてジャンルのシュリンク化を加速させていった、というのがこの10年、業界を半ば外側から眺めていての実感だ。

一方、一種の美術鑑賞モデルのパラダイム転換を、アート専門メディアの外側である文芸誌への寄稿で捉えた藤田直哉さんの『地域アート』（堀内出版、2016年）が出版されたり、ソーシャリー・エンゲージド・アート（SEA）にまつわる翻訳書や解説書が出版され、SEAという概念がにわかに流行したのがこの5年くらいの大きなトピックだ。ところが、ここでいつも違和感を感じるのは、そもそもSEAを積極的に議論するのがコアなアートファンや学術関係者に限定されおり、炊き出しを行ったりお祭りを行ったりと市民と関係するアーティストの営みを、従来のようにホワイトキューブ内で発表されるアート作品を批評するような仕方で捉え、かつ議論を市民に開くことはせず、閉じたコミュニティの中で理解しようとしているところだ。

これは芸術祭主催者が用意したプレスツアーに参加し、美術館の展覧会を見にいくように、地域に設置された作品を見て回るだけで記事を書くマスメディアの責任も大きいだろう。アートプロジェクトは美術作品としてではなく、現代美術に関心のある人の周辺にいる人々、社会全般に波及する様々な相互作用を数年単位の時間軸で追いかけつつ、その成果を外部の市民と共有し続けなければ、そもそも「何が起こったか」を記述することはできないと僕は考えている。

メディア論が専門の水越伸さんは、花粉や土砂崩れなど社会的問題を発生させる杉林だらけの日本の林野をマスメディアに重ねてこう語る。

「日本のメディア環境は、巨大な杉のようなマスメディアが立ち並び、それらが繁栄を謳歌する反面、地域紙、ケーブルテレビ、市民ラジオなどといった小さなメディアが棲息しにくい生態系になってしまった」[★2]

生態系の多様性が自然の回復可能性（レジリエンス）に寄与するのは確かだが、果たしてメディアを起点とした情報による文化的多様性が文化の回復可能性（レジリエンス）に影響すると考えることはできるだろうか。これはアートだけに限らないが、近年のゴシップ的な記事を見るにつけ、マスメディアが発信する芸術文化にまつわる言説のあり方は、杉林をさらに増やすか、花粉という公害を一挙に駆逐するにはどうするか……といった極端な構図を生み出してしまっているように見えなくもない。

アートプロジェクトは、多様な資源を複合させ、いままでになかった人と人の相互作用を生み出し、領域を横断し、新しい価値観を提示する「媒介装置」のようなものなのだ。そしてそこから生まれるインパクトも多様だ。僕たちは固定観念に囚われず、もっと自由に、分野を横断しながら「何が起こったか」をそれぞれの仕方で記述していくべきだと思う。

文化の危機？

出版市場の低迷、各々の文化芸術産業の低迷というデータを眺めて、芸術や文化の危機だと語るのは簡単だが、僕たちの文化や芸術に対する関わり方の前提が変わりつつあると捉えれば、新しい表現、批評の空間が立ち上がるかもしれない。本書が提案したいのはまさにそこである。東京のメディアでは資金的にも立地的にも取材リソースが足りず、捉えきれない各地に蠢くアートプロジェクトを、ひとつひとつの小さな生態系の複線的なプロセスで捉えていくこと。これはメディア環境の変化を「ローカルメディア」の台頭として捉えようとしてきた、職業編集者としての僕自身の問題意識ともつながってくる。

そもそも、本書は、2017年に立ち上げたウェブマガジン「EDIT LOCAL」のコミュニティ・プラットフォームから生まれた。EDIT LOCAL のコンセプトはまさに、自著『ローカルメディアのつくりかた』（学芸出版社、2016年）の問題意識を引き継ぎ、各地で小さな情報の生態系を生み出し、さらにそこから小さな経済圏さえ生み出してしまうアクター（編集者）を紹介するウェブマガジンだ。日本の現代美術史を単線的な歴史観で捉えようとしても個別の地域のアートプロジェクトの営みを取りこぼしてしまうように、日本のメディア史や編集者史を東京のメディアを中心に捉えることがそもそもナンセンスなのだ。

僕たちは一方的なマスメディアの発信によって、地域やその地域で営まれている文化的営みを、客体として、消費財として捉える目に慣れきってしまっている。しかし、従来の反体制・反中央的なカウンターという構図は採用したくない。それはまたそれで、中央集権性をより鮮明に可視化する枠組みでしかないからだ。そうではなく、それぞれの地域に多様な文化的営みが存在すること、そして自分は常に自らが根差す地域やコミュニティの当事者でしかなく、その外側に出られないと理解すること。この視点に立って、それぞれの地域やコミュニティが織りなす情報の生態系の差異を互いに受け入れることこそが、民主主義を前進させ、結果として災害等からの回復可能性（レジリエンス）が高く、可塑性のある成熟した社会を生み出すのだと思う。

コミュニティの危機？

ある種の天才信仰を生み出したのもまた日本の

EDIT LOCAL

マスメディアの功罪のように思う。そもそも、優れた作品や表現の営みが、天才的個人からのみ生み出されたというフレーム自体が間違いではないだろうか？　少し突飛な例かもしれないが、僕は一時期インターネット掲示板上で展開された無名の人々による「洒落にならないくらい怖い話」を読むのが好きで、まとめサイトを毎晩周回していたことがある。たとえそれが創作だと分かっていても、スレッド上で複数の投稿者が掛け合いを行い、怪異に遭遇した投稿者に反応をしながら生み出される複数の書き手によってまとまった一つの物語のリアリティに興奮した。いわばネット時代のフォークロア＝ネットロアなわけだけれど、これは別にインターネットが登場したから生まれた表現形態なわけではない。民話だってそもそも複数の人々の間で語り継がれてきたものだし、文化とはそもそも、複数の他者との間の相互作用によって鍛えられ、残り、受け継がれていくものなのだと思う。

近江八幡の失われた祭り「ほんがら松明」の記録映像がきっかけに、市民が立ち上がり祭りが復活してしまったエピソードなどを聞くと、確かに映像作品そのもののクオリティは大事だが、制作プロセスの中で生まれた作家と市民の絆、そして上映会での市民の異様な熱気がその結果を導き出したことがよく分かる。また、各地の農村舞台や演芸場に訪れると、古くから無数の名もなき地域住人の手で、これほどの文化が守られてきたことにいつも驚愕と畏敬の念を覚える。

レベッカ・ソルニットは災害によって「あちらこちらに出現する束の間のユートピア」を災害ユートピアと名付けたが、いっときであれ人々の間に横たわる差異、不信、敵意が棚上げされ、信頼、尊敬で結びつく瞬間は起こりうる。震災後に僕が垣間見たアーティストたちの無償の献身は、実質的に束の間の「災害ユートピア」を生み出すトリガーになっていたように思う。しかし、そのトリガーを引くのはアーティストだけとは限らない。市井の人々が互いに大なり小なり影響しあって生まれるものなのだ。その相互作用を見ないうちには、文化や芸術を本質的に語ることはできないのではないだろうか。本書で紹介した東北の事例のように、「みやぎ民話の会」の設立者で民話採訪者の小野和子さんとアーティストたちとの出会いが、それぞれのその後の活動に多大な影響を与えたのは紛れもない事実だろう。僕たち非職業アーティストで、かつアート業界の周辺にいるプロデューサー、編集者、コーディネーターといった人々は、様々な分野、ディシプリンを持った人々どうしの出会いや相互作用を誘発するネットワークづくりに尽力すべきだと、今改めて思う。

アートプロジェクトが備える持続可能性

一方、アートと社会起業的な取り組みの差異について考えてみたい。本書では取り上げていないが、神戸市長田区にある多世代型シェアハウス「はっぴーの家」、鹿児島の障害者福祉施設「しょうぶ学園」のような福祉領域、あるいは徳島県上勝町の「いろどり」のような環境資源を活用するまちづくりビジネスなどで、アーティスト的な型破りな発想を持った取り組みが増えつつある。そこで行われる事業は「実験」とはもはや呼べず、アート的発想が事業の根幹に組み込まれ、社会実装されているのだ。例えば、型破りなアイデアを社会に問うアート作品を見ても、確かに心を打たれ、価値観を変えられることはあるが、芸術祭や展覧会の会期が終了すれば街から撤去される。アーティストの発想は確かに凝り固まった社会に一石を投じるかもしれない。しかし、それが地域から消え去った時に、そのアイデアの痕跡がほとんど残らず、地域は日常に戻ってしまうことに対して、僕たちはどう考えればいいのか。そもそも、作品として消費しようとするならば、その支持体である地域がどうなろうが関係はないだろう。しかし、作品がなくなっても、地域はそこにあり続けるのである。

とはいえ、〝アートプロジェクト〟という概念の中には、まさに社会起業的な営みが備える〝アイデアの持続可能性〟というニュアンスが含まれているように思うのだ。なぜなら、アートプロジェクトは「終わりのない持続的に生起する出来事の総体」だからだ。それは、本書をお読みいただいた方には実感していただけると思う。作品批評というエコシステムからはみ出し、社会に実装されうる〝アイデア〟を投げかけるプロジェクト、それがアートプロジェクトという概念の持つ可能性の中心ではないだろうか。そしてそれを鑑賞したり批評する僕たち自身がその営みの渦中に投げ込まれ、当事者となる。僕たち自身が地域に暮らそうが観光客として接しようが、地域を変える〝現象〟に対して無責任ではいられない、という事実を突きつけられる。そんな、社会の価値観を日々の実践によって塗り替え、市民一人ひとりの社会との向き合い方をも変えるアートプロジェクトが、今後もどんどん増えていくことを夢見たい。

★1 『定本 災害ユートピア――なぜそのとき特別な共同体が立ち上がるのか』（亜紀書房、2020年）
★2 水越伸著『メディア・ビオトープ』（紀伊国屋書店、2005年）

おわりに

本書は、日本各地に編集・ライターのコミュニティを持つ EDIT LOCAL LABORATORY がクラウドファンディングを活用して制作しました。ご支援いただきました皆様にまずは御礼申し上げます。

制作のための資金を得ることはもちろん、10年というスパンで各地の事例を取り上げるにあたり、編著者が専門とする領域以外の方々の声を参考にしながら進めること。専門家や研究者以外になかなか伝わらないアートプロジェクトの価値に、共感してくれそうな方々へ届けることもクラウドファンディングを活用した理由でした。

本格的な取材・制作活動をスタートする時期からコロナ渦の影響が大きくなり、計画通りの取材や活動はできませんでした。しかしながら、既にそれぞれのプロジェクトや、それが行われている地域と縁のある執筆者の協力を得ることで、既に見聞きしていることを整理したり、オンライン取材を重ねたり、隙をみて若干の現地取材を取り入れるという進め方が可能になりました。主体的に取り組んでいただいた執筆者の皆様、取材に協力いただきました皆様にも感謝申し上げます。

最後に、直接・間接的に背中を押していただいたのは、やはりアートプロジェクトの現場の豊かな風景それ自体だったこともお伝えしておきます。本書で取り上げることができたのはそのごくわずか一部に過ぎませんが、これまでに出会って来た様々な人々の手でそれが生み出されている奇跡、その営み自体の美しさを伝えたい。そのような気持ちにさせてくれた全ての現場に感謝を伝えたいと思います。ありがとうございました。

二〇二一年一一月三〇日　橋本誠・影山裕樹

本書はMotion Galleryによるクラウドファンディング「日本各地で行われているアートプロジェクトの10年の動きを伝える本を出版したい!」により制作いたしました。（実施期間｜2019年～7月1日～9月30日）
https://motion-gallery.net/projects/editlocal_artbook/

コレクター（編集に参加する!）

清水明絵
山本功
大越晴子
井上果林
ユミソン
武藤隆+飯田志保子
武田国博
山吹善彦
羽原康恵
奈良織恵
玉造明男
たけがたせいじ
室内直美
堀切梨奈子
小山冴子
一般社団法人新宿メディア芸術地域活性化推進協会
小田久美子
宇野澤昌樹
みやざきゆりえる
株式会社 MARUEIDO ART PROJECT
石神夏希
奥村圭二郎
寺島千絵
周山祐未
西田祥子
松本文子（大阪大学CO*デザインセンター）
小中大地
澤田知美
山岸綾
後藤努
全30名の皆様

コレクター

里見有祐
長津結一郎
郷ニ入ルズ
遠山昇司
Asuka Takemata
上田假奈代
minako
杉崎栄介
タノタイガ
Yuma Sakabe
家入健生
須藤崇規
莇貴彦
えびすあきこ
川村彩乃
GOTO DAIKI
吉澤弥生
金澤韻
今井浩一
橋本香魚子
海老澤彩
三富章恵
吉田朋史
四元朝子（サンカイ・プロダクション合同会社）
古賀昌美
田久保博樹
畑井恵
Chikaraishi Saki
石幡愛
山本敦子
森隆一郎
福井尚子
熊谷周三
いしだゆうこ
橋本務
tona
大山知康
Mio
内海聖史
Ryoya Chihara
TSUCHIYA AKIKO
古谷晃一郎
佐々木千恵
伊藤嘉朗
田中千彬
好子ちゃん
Shunsuke Sakurai
小林育子
ビルド・フルーガス
さとうひさゑ
森脇勝江
吉田有里
kumagusuku
Sho T
秋山純江
藤田直哉
宮本初音（ART BASE 88）
佐藤卓也
ヤヨヒヒム
直井薫子
金廣有希子
青木彬
並河杏奈
小松一世
中島晶
松原龍之
栗栖良依
小松原一恵
annabonba
中嶋希実
いそべさとし
杉浦裕樹
Hara Tomoko
武藤勇
岡本芳枝
穂積利明
祐源紘史
kokatsu reiko
やがさきけんじ
古堅太郎
ミヤタハジメ
相川千晶
米原晶子
吉崎元章
桃生和成
幸子&美和子
大隈理恵
P+ARCHIVE
黛由紀子
神山亮子
坂田太郎
Sayo Tomita
大川和也
服部浩之
橋本章
松本花音
Tomori Nagamoto
林真実
小西まゆみ
三浦匡史
あさこともこ
かみいけ木賃文化ネットワーク
くどう道絵
横田紗世
michilaboratory
小林弘幸
Kaoru Teraura
多田智美
加藤みのり
中田一会

泊まれる雑誌マガザン
キョウト
成田海波
森ノオト 船本由佳
瀬下翔太
まえだ としゆき
阪本健吾
西会津国際芸術村
Michiko Kuribayashi
カナイ サワコ
AREA INN
FUSHIMICHO
FUKUYAMA CASTLE
SIDE
瀬木陽子
打谷直樹
秋山きらら
西尾美也
芦部玲奈
井上祐巳梨 TTA
株式会社ニューモア
まえだまさひろ
平石もも
高坂玲子
土屋匡生
加藤文俊
Kubota Yuka
井尻貴子
田中英行
Comuni
高橋大輔
岡田昭人
山出淳也
信耕ミミ
髙橋かおり
滝沢達史
湯月寛子
鈴木孝英
水越雅人
細田侑
泰平
内山貴之
武田知也
吉成隆
徐昊辰
谷竜一
Yugo Tanaka
小林竜也
山川愛
高橋亜弓
土谷享
藤浩志
wksgknch
Art-Phil
名畑恵
吉田茂治
松岡 真弥
田口詠子
西尾浩紀
五十嵐政人
はがみちこ
藤村恭子
南裕子
天野澄子
五十嵐靖晃
河野慎平・奈保子
田中昌子
大島賢一
NPO法人PandA 早川
由美子
木龍歩美
楠本智郎
江藤まちこ
株式会社鈴木事務所
宮田明日鹿
クリタアヤコ
茂木克浩
樋口友香
坂本有理
猪股春香
佐藤史治+原口寛子
長尾聡子
山内康裕
市村良平
木下志穂
霜中良昭
石田設計 石田尚昭
尾花賢一
佐藤恵美
Tetsuya Sato
坂田光永
嘉原妙
高田佳奈
山野夏紀
EAT&ART TARO
戸澤潤一
大政愛
檻之汰鷲
辻佑介
米津いつか
増田敬一
加藤健
澤田知美
高野哲矢
及位友美
永戸栄大
岡本デザイン室
台北 空屋
中垣智晴
住麻紀
syuz'gen
吉本麒麟
山城大督
裴潤心
平田健志
清原悠
古屋淳二（虹霓社）
Yumi Ohmuro
斎藤努
Barbara Pool
馬渕かなみ
時宅・桃子
阿比留ひろみ
鬼木和浩
高橋良知
ねまき
大内伸輔
野﨑美樹
松尾真由子
小林めぐみ
Daira
大塚千枝
藤原旅人
前田とまき
佐脇三乃里
江口晋太朗
シマダカズヒロ
浅見俊哉
渡辺智穂
横永匡史
まっつつん
ほか全269名の皆様

運営・制作協力

天羽絵莉子
石山律
佐藤卓也
瀧口幸恵
一般社団法人ノマドプロダクション
林真実
森田裕子

イベント開催協力

AREA INN FUSHIMICHO FUKUYAMA CASTLE SIDE
中尾浩治（合同会社アート・マネジメント・しまなみ 代表）
リトルトーキョー
喫茶野ざらし
青木彬（インディペンデント・キュレーター）、佐藤研吾（建築家）
くすのき荘
及川卓也（株式会社マガジンハウス コロカル事業部部長／編集長）
ラウンジ・カド
滝沢達史（美術家、ホハル 代表）
TAMAYA TAMASHIMA
時宅
EAT&ART TARO

EDIT LOCAL BOOKS とは?

まちを編集するプロフェッショナルをつくる、伝える。がコンセプトのウェブマガジン「EDIT LOCAL®」は、2017年に創刊されました。そのなかで私たちが気付かされたのは、地域における情報発信やブランディングにまつわる知見は、地域固有の文脈をしっかり見据えなければ捉えることができない、ということでした。

こうした問題意識から、2019年にオンラインコミュニティ「EDIT LOCAL LABORATORY」をスタート。WEB上では発信しきれない地域の固有性、すなわち人口規模や風土、立地、文化の違いを共有する場に育ってきました。

EDIT LOCAL BOOKSはこのEDIT LOCAL LABORATORYの会員同士の議論や交流から生まれる課題やテーマが結実したシリーズです。今後も地域で活動する人々をつなぎ、さまざまな地域にまつわる書籍を刊行していきます。

ウェブマガジンEDIT LOCAL
https://edit-local.jp/
オンラインコミュニティEDIT LOCAL LABORATORY
https://edit-local.jp/labo/

編著者

橋本誠

美術館・ギャラリーだけではない場で生まれる芸術文化活動を推進するアートプロデューサー。東京都内の地域に根差した芸術文化活動を中間支援する東京文化発信プロジェクト室（現・アーツカウンシル東京）を経て、2014年に一般社団法人ノマドプロダクションを設立。2020年よりNPO法人アーツセンターあきたプログラム・ディレクター。

影山裕樹

編集者、合同会社千十一編集室代表。著書に『ローカルメディアのつくりかた』（学芸出版社）、編著に『あたらしい「路上」のつくり方』（DU BOOKS）、共編著に『新世代エディターズファイル』（BNN）など。WEBマガジン「EDIT LOCAL®」の運営や、ワークショップ「LOCAL MEME® Projects」など地域における情報発信や人材育成、ブランディングまで多様な事業を展開。

ライター

谷津智里

東京都出身。出版社勤務経験後、夫の実家がある宮城県白石市へ2008年に移住。東日本大震災の後、「東京都による芸術文化を活用した被災地支援事業」コーディネーターとなり、県内各地を歩いた。現在は地域を主題とするフリー編集者・ライター。

南裕子

1987年岡山県備前市出身。出版社でPRやIP業務に携わりながら小劇場演劇の宣伝美術として5年間活動。2018年からフリーランスとなり、PRやデザインの観点から地域やアートのプロジェクトに参画している。地元・備前の商品開発企画「BIZEN PRODUCT」や、瀬戸内のローカルコミュニティ「瀬戸内かわいい部」の企画運営も。

はがみちこ

アートメディエーター。京都精華大学、京都教育大学、大阪成蹊大学非常勤講師。浄土複合ライティング・スクール講師。京都市の若手芸術家支援事業「HAPS（東山 アーティスツ・プレイスメント・サービス）」（2011～）の立ち上げに携わる。関西圏を中心に、アート等の各種執筆、展覧会やイベントの企画、コンサルティングなどを行う。

橋爪亜衣子

横浜市の文化施設「象の鼻テラス」に勤務、国際交流事業や障害とアートに関わるNPO「SLOW LABEL」立ち上げなどを担当。半年間のインドネシア滞在後別府へ移住し、滞在の場／企画チームである「（ゆ）」を運営中。

石神夏希

劇作家。国内外に滞在し、都市やコミュニティのオルタナティブなふるまいを模索する演劇やアートプロジェクトを手がける。都市のリサーチ、エリアリノベーション、遊休不動産を活用したクリエイティブ拠点の立ち上げなど、都市に関する様々なプロジェクトに携わる。

中嶋希実

茨城県取手市育ち。求人メディア「日本仕事百貨」の運営を経て、小さなチームの運営や広報、編集など。地元で活動する「取手アートプロジェクト」では「あしたの郊外」やアーティストへのインタビューなどを担当。ときどきチャイ屋。

EDIT LOCAL BOOKS

危機の時代を生き延びるアートプロジェクト

橋本誠
影山裕樹 編著

石神夏希
中嶋希実
はがみちこ
橋爪亜衣子
南裕子
谷津智里 著

デザイン｜加藤賢策＋守谷めぐみ（LABORATORIES）
企画｜EDIT LOCAL LABORATORY

発行日｜2021年12月10日　初版第一刷発行
発行所｜合同会社千十一編集室
〒170-0002
東京都豊島区巣鴨5-32-9-402
TEL 050-6866-3879
https://sen-to-ichi.com/

印刷・製本｜シナノ印刷株式会社
Printed in Japan
ISBN:978-4-978-4-9910111-1-5